# 思考を耕す ノートのつくり方

## 自分の知的道具を手に入れる

倉下忠憲
Tadanori Kurashita

イースト・プレス

# はじめに

　ノートの多い人生を送ってきました。

　文房具マニアというのではないのですが、気がつけば家にあるノートは増えています。棚はもういっぱいです。

　もちろん、ただ買っているだけでなく実際に使ってもいます。仕事、趣味、勉強、研究、家事……人生のいろいろな局面でノートは活躍してくれました。「人生はノートと共に」──そんなフレーズを思いついてしまうくらいです。

　では、なぜそんなにノートを使ってきたのでしょうか。それはノートが「考える」という行為をサポートしてくれるからです。人の思考をより広く、柔軟に発揮させてくれる力をノートは持っています。畑を耕せば作物が育ちやすくなるのと同じように、ノートを使えばアイデアや考えが伸び伸びと発展していくのです。そんな道具は──それも数百円で手に入る道具では──なかなか見当たりません。

　それにしても不思議です。これほど便利で身近な道具でありながら、苦手意識を感じている人も多いようなのです。この本を手に取ったあなたもそうなのかもしれません。学校で使っていたから馴染んでいるけども、だからこそあま

り近づきたくない。そんな複雑な気持ちがあるのかもしれません。

　しかしながら、そうした気持ちはちょっとした見方で変化するものです。学校で使ってきたノートの使い方は、「ノートの使い方」のほんの一部でしかありません。ノートという一見単純なツールの背後には、広大な使い方の草原が広がっています。

　その意味で、ノートに苦手意識を感じている人は、単に「ノートを使う」ことに慣れていないだけなのかもしれません。


　では、ノートを使ううえで大切なことは何でしょうか。おそらく3つあります。


　1つは「書くこと」。

　当たり前ですね。書かないと始まりません。


　2めは「続けること」。

　書き続けることでノートの価値は増えていきます。


　最後の1つは「自分なりの書き方を確立すること」。

　一番見えにくく、重要性が認識されていないにもかかわ

らず、ほとんど致命的と言えるくらいに重要な点です。

　**自分にあった書き方。それは人それぞれ違っています。**
日本では、「正しいやり方」を上から教えてもらうという
アプローチが主流ですが、それには限界があります。学校
から卒業した僕たちは、自由にノートを書いていけますし、
自由に書けるからこそノートは素晴らしいツールなのだと
もいえます。

　本書では、ノートの書き方・使い方をちょっと格好をつ
けて「ノーティング」と呼び、そのノーティングをそれぞ
れの人が自分にあったスタイルで構築できるようになるこ
とを目指しました。

　最終的に構築されるノーティングの数々は、人によって
違っているでしょう。そのような多様性こそが、現代では
重要なはずです。とはいえ、最初から「好きに、自由にや
りましょう」というのでは途方に暮れてしまうでしょう。

　よって本書では、カスタマイズを経由して、自分なりの
ノーティングを構築できるように内容を構成しました。
　まずChapter.1では、ノートを使う意義を確認します。

そもそもなぜノートを使うのか、ノートを使うと何が嬉しいのかを確認することで、ノートをどのように使えばいいのかの前提が確認されるでしょう。

続くChapter.2では、基本となるノーティングの要素を紹介していきます。骨子、あるいは素子とでも呼べるような基本的な要素たちです。ある意味では当たり前の要素の確認でもあり、それらの要素を一覧・列挙することが狙いでもあります。

続くChapter.3では、具体的な場面を想定して「ノートの書き方」を紹介します。日記やアイデアの発展、読書ノートなど、興味を惹く、あるいは日常的に利用しているケースが見つかるかもしれません。とはいえ、ここで紹介するのはあくまで「基礎」です。改造される前の機体。その書き方をベースにして、自分の使いやすいようにカスタマイズをできる余地を残してあります。

そうしたカスタマイズで役立つのがChapter.2で紹介したノーティングの素子です。ベーシックなノートの書き方に、ノーティング素子を組み合わせることで、「自分なりのノーティング」を構築していくわけです。レゴブロックやマインクラフトのイメージに近いかもしれません。

　これまでさまざまなノート術の本が登場していますが、このような視点からアプローチしている書籍はおそらくこれがはじめてでしょう。現代は多様性の必要性が説かれる時代ですが、ノウハウもまた、均一的ではなく、個別にカスタマイズ可能なものであるべき時代が、これからやってくるのではないか、というのが私の見立てです。

　また、Chapter.3の合間には、「私のノートの使い方」のコラムが入っています。私のノートの使い方は、あくまで私自身に最適化されたもので、他の人が真似してもそのまま嬉しいわけではありませんが、何かしらのヒントになればと思います。

　Chapter.2とChapter.3で、ノーティングの基本と展開は一通り紹介を終えますが、それだけで話が終わらないのが「ノウハウ」の難しいところです。実践していくうえでつまずくポイントがいくつもあります。そこでChapter.4では、よくあるノートについての疑問・質問をQ&Aの形でまとめました。細かい話から大きな話まで、さまざまなQ&Aが並んでいます。実践する際に参考にしてください。

　それではさっそく始めましょう。

# Contents

# *Chapter* **3 書き方のスタイル**

## *Chapter 4* ノートＱ＆Ａ

*Chapter 1*

# 知的道具としての
# ノート

# ノートとは何か。

**ま**ずは準備運動です。「ノートの使い方」の話に入る前に、ノートを使う意義について確認しておきましょう。人はなぜノートを使うのか、ノートを使うとどんな嬉しいことがあるのか、現代においてそうしたノートの効用はどのように有効なのか。それらを簡単に確認しておきます。

考えてみると、私たちはそんなややこしいことを意識しないままノートを使っています。もちろん、そのように簡便に使えるのがノートの良いところです。複雑な判断を要求するツールは、日常的な道具としては不向きでしょう。

とはいえ、一度根本的なことについて考えておくのは悪いことではありません。そうして深く潜っておくと、それまでとは違った景色が見えてきて、日常的な実践のあれこれにも変化が生まれてくるものです。それが大きな飛躍につながることもあるでしょう。

よって本章では、人間が情報を扱う道具としてのノートの役割やその意義について確認していきます。

# #001
# 「頭の中だけ」は限界がある

　「もっと頭が良くなりたい」という願いをお持ちではないでしょうか。

　私たちの周りにはたくさんの情報があり、それを処理する必要に迫られています。問題解決、情報整理、情報発信、自己啓発、自己実現……。日々の課題は山積みであり、情報処理に追われる毎日が続きます。よほどノーテンキな人以外は「ありのまま」で生きていくのは難しいと感じられるでしょう。そんなとき、「もっと頭が良くなりたい」という願いは切実なものになります。

　しかし、その願いは簡単には実現されません。

　コンピュータのようにパカッと頭を開いて新しい部品を追加するわけにもいきませんし、ネットから最新のソフトウェアをダウンロードするわけにもいきません。**私たちは、私たちの頭と共に生きていくしかないのです。**

　しかし、まったく手の打ちようがないかというとそういうわけでもありません。「道具」が役に立ってくれます。道具を使うことで、頭単体では実現不可能だったことを成

し遂げられるようになるのです。

　力仕事ならわかりやすいでしょう。鍬、梃子、車輪、などを使えば、人の力だけでは成し遂げられないことが可能となります。大げさに言えば、そうした力道具たちは、人間の拡張をもたらすわけです。そうやって人類は、生活を拡大してきました。

　頭仕事でも同じです。たとえばソロバンや電卓は、情報を「記録」してくれているおかげで、すごく難しい計算も成し遂げられるようになります。人間の計算能力を底上げしてくれるのです。

　こうした頭道具（あるいは知的道具）を使うことで、頭の「使い方」を変えることができます。もっと「うまく」頭を使っていけるようになるのです。自分の頭だけで頑張るのではなく、頭と道具の共同作業で目的を達成する。そんな風に捉えてみるとよいでしょう。

　ノートもそうした知的道具のひとつと言えます。

頭のなかだけで考えるのは限界がある。
ノートはその可能性を拡げてくれる道具。

# #002
# 頭の使い方のサポート

　ノートは、私たちの日常の情報処理を手助けし、その能力を底上げしてくれます。頭がうまく使えるようになるのです。そのうえ、そうして使っているうちに、それが馴染んでくるようになります。ソロバンを使って計算している人は、やがて暗算が素早くできるようになるのと同じで、頭だけで発揮される能力も向上するのです。

　たとえば、メモを取るようになると、さまざまな記録が残せるようになります。記憶力を超えた情報を扱えるようになるのです。しかし、それだけではありません。そうした効果に加えて、自分の注意の向き方が変わってきます。メモを取るようになると、細かいことに気がつくようになるのです。

　イラストを描いている人や写真を撮る人などは、周りの風景や事物に対する注意が鋭敏でしょう。それと同じで、メモを取るようになると、身の回りの出来事について言語的な分析感覚が鋭くなってきます。

　同様に、ノートを書くようになると、落ち着いて考えた

り、理性を働かせて判断したりすることが、少しずつ頭に馴染んできます。

　ノートを使い続けることで、頭そのものの使い方も変わってくるのです。

　つまり、短期では道具の力を借りることで高度な情報処理が行えるようになり、長期ではより根源的な頭の使い方の変化を成し遂げていくこと。それがノートという知的道具を使うことの意義です。

　そのように考えると、ノートを「自分らしく」使うことの重要性も見えてきます。なにせそれは「頭の使い方」や「考え方」をサポートするのです。いうまでもなく、人の考え方はそれぞれであり、それが個性の源でもあります。もしそれがまったく融通が利かず、他人から押しつけられたものしか使えないとしたらどうでしょうか。ほとんど操り人形みたいなものになってしまい、個性はどこにも芽生えません。それは少し恐いことです。

　ノートを書き続けることで、注意の向け方が変わってくる。そこから頭の使い方そのものも変化していく。

#003
# 気軽に、自由に使う

　ノートにはさまざまな種類があり、さまざまな使い方ができます。情報を保存する。計算領域を広げる。情報に注意を向ける。情報を展開する。

　ノートを使ううえで、「これをしなければならない」「こう使わなければならない」というルールはありません。自分なりに使えばOKです。むしろ、自分なりの使い方を開発していきたいところです。そうした自由さを受け止めてくれるのがノートの良さです。

　いろいろな制度や締めつけが厳しくなっている現在において、そういう自由な場は得がたいものになりつつあります。その意味で、ノートを自由に使えるようになることは、人生を自由に生きる練習になるかもしれません。

　いささか大げさな話になりましたが、そんなに身構える必要はありません。ノートは自由であり、身近なツールです。そういうカジュアルさこそが、最大の魅力です。あまり深く悩まずに、まずはやってみることが大切です。

> 自分なりのノートの使い方を開発することは、自由に生きる一歩になる。

# Chapter 2
# 使い方のスタイル

# ノートを解剖する。

　ノートの意義が確認できたところで、いよいよ具体的な話に入りましょう。とはいえ、いきなり「ノート術」のような実践例に飛び込むことはしません。本章ではもっと基礎的で部分的な要素に注目します。具体的には、さまざまなノートの種類や、基本的な記入方法について探索していきます。

　そうした要素たちは、いってみれば「ノートのつくり方」を構成する基本要素（エレメント）です。

　なぜそのようにして基礎部分を確認しておくのかといえば、後々嬉しいことが起こるからです。対象を見つめる解像度が上がれば、完成品としての「ノート術」を部分的に捉えることが可能になり、そこから自分なりのアレンジを施しやすくなるのです。

　そこで、まずは「ノートを使う」を構成しているさまざまな要素を確認していきましょう。

# #004

# ノートの種類

一口にノートといっても、種類はたくさんあります。それぞれのタイプによって得意とする役割は異なります。その役割に合わせて使い分けていければいいですね。そこでまず、ノートの種類を理解しておきましょう。

**いろいろなノートたち**

まず、私たち日本人が「ノート」と聞いてまっさきに思い浮かべるのが綴じられたノートでしょう。強いて言えばノート帳と呼べる種類です。英語で言えば、notebookに相当します。そうなのです。日本語でごく普通に使うノートという言い方は、noteではなくnotebookなのです。

ではnoteとは何かを辞書で調べてみると、「(短い)記録、覚え書き、メモ、原稿、(略式の)短い手紙、(正式な)文書、通達、(本文の)注、注釈、紙幣」といった意味があります。

つまり、**個人が使う記録の総合的な名称がnote**なのです。当然こうしたnoteも、人が生きていく上でたいへん役立ちます。

### ルーズリーフは後から綴じていく

　たとえば、はじめから綴じられていないノートもあります。学生の方はおなじみでしょうが、ルーズリーフと呼ばれるものがそれです。綴じるためのバインダーと一緒に使います。これも立派なノートでしょう。

　ようは、はじめから綴じていなくても、後で綴じた形にできたらノートと似たような使い方ができるのです。

　しかも、この「後から綴じる」形式であれば、ページの並びを自由に変更できます。順番や重要度が一定ではなく、自分の裁量で変わっていくような情報を扱う場合には、この「後から綴じる」バインダータイプはたいへん有用です。

〈いろいろなノート比較〉

| 種類 | 特徴 | 主な用途 |
|------|------|---------|
| ノートブック | 順番が保存される | 作業記録 |
| ルーズリーフ | 必要な分だけ持ち出せる | 研究ノート |
| ノートパッド | 書いたあと取り外せる | レポート |
| カード | 自由に配置できる | ブレスト |

**ページの順番を入れ替えられるということ**

　であれば、バインダータイプははじめから綴じているノートブックの上位互換と言えるのでしょうか。そうではありません。

　まず、順番が変えられない、という点が実はメリットになります。たとえば、科学の実験などに使われる実験ノートはバインダーではなく綴じノートが使われます。

　なぜなら、後から情報を差し替えられないことが、書かれた情報の正確性を担保してくれるからです。実験にとって不都合な情報を省いてしまったり、後からつじつまを合わせるために新しい情報を書き加えてしまったりすることは望ましいことではありません。ルーズリーフではそれが簡単にできてしまうのですが、綴じノートではそうはいかないわけです。その意味で固定的な順番をそのまま保存してくれるのは1つのメリットであり、有用な機能なのです。

　また、ルーズリーフはそれ単体では記述が難しい面があります。ようするに書きにくいのです。ノート帳はペンさえあれば立っていても記述ができますが、ルーズリーフではそれは難しいでしょう。バインダーが必要ですが、バインダーがあっても表紙の具合によってはそのまま書くのは

難しかったりします。その意味で、ノート帳の方が単独での完結度が高いといえます。それ単体で「筆記用具」（書かれるもの）としての役割を果たしてくれるのです。

**ルーズリーフはいつも「最適な量」**

さらにページ数の上限にも違いがあります。ノート帳ならば100枚のノートを見つけるのは難しくありませんが、バインダーに100枚も挟めば、かちっと綴じることはできなくなるでしょう。どうしてもバインダーのサイズにページ数が規定されてしまうのです。

そのかわりに、「そのとき必要な分」だけを持ち歩けるメリットがあります。たとえばノート帳ならば、残り5ページくらいになると、微妙に不安になり新しいノートとセットで持ち歩いたりしますし、新しいノートに移っても少し前の記述が必要になりそうだから、旧い方のノート帳も持ち歩くなんてことは珍しくありません。ルーズリーフであれば不要な旧い部分をはずことで常に「最適な量」だけを持ち運ぶことができるのです。

これだけみても、ノート帳とルーズリーフはそれぞれに一長一短であることがわかります。自分がどんな用途でそ

れを使おうとしているのか、どんな機能を欲しているのか
を検討した上で、ノートを選ぶことが大切です。

## ノートパッドはバラバラにできる

　またルーズリーフの延長にノートパッドがあります。レ
ポートパッドやリーガルパッドもその仲間です。最初は綴
じた1冊のノートになっているのだけども、書き終わった
らちぎり取るタイプのノートです。ようはルーズリーフの
逆ですね。大学生ならばおなじみのノートでしょう。

　このノートパッドは単体での記述がしやすく、書き終わっ
た後はバラバラに使えるメリットがあります。クリアファ
イルや大きめの封筒にまとめておいたり、レポートフォル
ダで仮留めしておいたりと後から綴じることもできます。
また、ルーズリーフと同じ穴が空いているノートパッドも
あり、ハイブリッドな使い方ができるものもあります。

## あらゆるものがノートになる

　少しマニアックになりますが、ルーズリーフ用の穴を空
けるための器具（巨大なパンチをイメージしてください）もありま
す。それを使えば、あらゆる紙ものが「ノートのページ」
として機能するようになります。たとえば、コピー用紙だっ
て穴を空ければルーズリーフになってくれるのです。

ノートとして「綴じる」ことを求めないならば、クリアファイルや封筒に入れておくだけでも十分機能します。ルーズリーフだからといってバインダーに綴じなければならないという法律はありません。コピー用紙や反古（いらなくなった紙）の裏面だって十分にノートとして使えます。頭の柔軟性を発揮させれば、あらゆるものが「ノート」になってくれるのです。

## 適材適所で使っていく

　最近では、高機能なノートも増えています。アナログではホワイトボード型のノートや、自分で開閉できるリングノート、ページが折り畳まれておりそれを開くことでサイズが変わるルーズリーフといったものがあります。

　また、すごく低価格なノートもあれば、ラグジュアリーとでも呼べるような高級ノート帳もあります。デジタルでは、「デジタルメモ」と呼ばれているE Inkを使った安価な入力装置もありますし、パソコンやタブレット、スマートフォンでも情報を記録するためのツールは星の数ほどあります。

　どのツールをとってみても「情報を記録して残しておく」という土台の役割は共通しています。しかし、その土台の

上に乗っている2階や、3階の役割はそれぞれのノートで違っています。当然その使い勝手も変わってきます。

すべてを事細かく捉える必要はありませんが、それでも大きなグルーピングをして、どういう位置づけを持っておくのかは理解しておくとよいでしょう。そのうえで、ノートのさまざまな使い方を考えていくのです。これはパズルをしているような楽しさがあります。

何にせよ「自分はこれだけを使う」という発想は、こだわりが強すぎるといえるでしょう。それぞれのツールに合わせて、適材適所で使っていく。そういう発想の方が実際的ですし、楽しくノートを使っていくうえで有効だと思います。

綴じてあるもの、増やしていけるもの、バラバラにできるもの、実は「ノート」にもさまざまなスタイルがある。

# 005

# 罫線の意味

　前項で紹介したようにノートの枠組みにはさまざまな種類があるわけですが、その"中身"も負けてはいません。驚くぐらいのバリエーションがあります。

　ノートの"中身"というと、そこで使われている紙を指すわけですが（最近は液晶ディスプレイやE Inkのノートもあるので一概には言えませんが）、その紙は「罫線のスタイル」と「紙質」の2要素で捉えることができます。どちらもノートを使う上で重要な要素なのですが、まずは目につきやすい「罫線」から見ていきましょう。

〈いろんな用紙〉

| 種類 | 特徴 | 主な用途 |
|------|------|----------|
| 罫線 | 同じ高さで横書きの文章を記入していける | 授業ノート 仕事ノート |
| 方眼紙 | グリッドを使うことでサイズを可変的にできる | 図面 スケッチ |
| 無地 | 一番自由度が高く、カスタマイズもやりやすい | イラスト カスタマイズ |
| ドット方眼 | 点で構成された方眼 | 方眼の無地のハイブリッド |

## 罫線―― どんな文字を書くのかのガイドライン

　私たちが使うノートには、たいてい横方向の罫線が入っています。むしろ紙が綴じられていて、そこに横罫が入っているものを「ノート」と呼ぶ感覚があるかもしれません。しかし、よくよく観察すれば、それ以外の「罫線のスタイル」を持ったノートもたくさん存在します。

　まず横の罫線であっても、その幅に違いがあります。A罫線やB罫線はノート売り場でもよく見かけるでしょう。それぞれ7mm幅、6mm幅のものを指します。さらに少しマニアックですが、C罫線のノートもあり、その幅は5mmになっています。非常に細かく文字を書いていけますね。

　そうなのです。こうした横の罫線は文字を書く方向を規定すると共に、その文字の大きさもおおまかに決めてしまいます。物理的には何の制限もないにもかかわらず、罫線をまったく無視して文字を書くのは心理的に抵抗感があるでしょう。罫線とは「こういうスタイルで文字を書いていきましょう」と道具側が規定しているガイドラインなわけです。

横罫線のアレンジとしては、五線譜ノートや英文用ノートがあります。あるいは、家計簿などすでに専用の表組みが書き込まれているものも、広い意味で言えば「罫線」の延長だといえるかもしれません。そこまでいくと、ノートをどう使うのかまで道具側が規定していることになります。規定されればされるほど、その用途での使い勝手は上がっていきますが、そのトレードオフとして別の使い方はやりにくくなります。こうした見極めもノートを使う上での楽しさの1つです。

　最近の機能的なノートでは、横線の上に追加で目盛り用の点が打たれたものもあります。その点をガイドにすることで、物差しでまっすぐな縦線が引きやすいのです。文房具メーカーのたゆまぬ研究によって罫線のスタイルも年々進歩しているわけです。

**方眼── 多様なフォーマットをもたらす**

　横方向の罫線だけでなく、縦方向の罫線が入っているノートもあります。方眼と呼ばれているスタイルです。先ほど確認したように、横方向の罫線は文章を書くガイドになってくれますが、2軸が交わる方眼は図やイラストを描く際のガイドになってくれます。英語でいえば、Drawとなる

「描く」行為です。

　もちろん、Writeにあたる「書く」にも効果を発揮します。罫線であれば、文字を均一のサイズに揃えるのに適していますが、方眼は複数のサイズを用いることができます。たとえば、見出しの文字は2ブロックを使って大きくし、本文は1ブロックで普通に書き、注意書きは半ブロックでさらに小さくといった使い分けができるのです。このようなサイズ感の使い分けは、「フォーマット」とも呼ばれます。つまり、方眼スタイルのノートは、「書く」に多様なフォーマットをもたらしてくれるのです。


　日本で一般的に手に入る方眼紙は、5mmマスのものが多いようです。横罫線で言えばC罫線に相当するので、少し細かいサイズと言えるかもしれません。

**無地── 自由度が高く、上級者向け**

　方眼よりもさらに自由度が高いのが「無地」です。簡単にいえば、何の線も引かれていない用紙のことです。「無地」として特別に販売されているノートもありますし、落書き帳や自由帳、あるいはコピー用紙をそのまま筆記用具として使う場合も、「罫線がないというスタイル」のノートとして捉えられます。

無地は方眼よりもさらに図やイラストを描くのに向いていますし、文字であっても、後に紹介する放射状に書き進めていく手法に適しています。


　ただし、何のガイドラインもないので当然「フォーマット」は存在せず、それぞれのページがまったく異なる表現になる点には注意が必要です。スタイルを揃えて内容を読みやすくしたい場合は「フォーマット」を揃えておくのが有用なので、勉強ノートなどは罫線ありのノートを使うのがよいでしょう。

　また、無地の別の用途として、「自分なりのスタイルをプリントする」という使い方があります。たとえばパソコンなどで10mmの横罫や8mmの方眼などを作り、それを無地の用紙に印刷すればまったくオリジナルの「自分ノート」ができます。こういうアレンジ（ハック）の可能性を無地のノートは持っています。


　その他、数はまだそれほどありませんが方眼と無地の中間的存在として、「ドット方眼」と呼ばれる比較的新しいスタイルも登場しています。罫線が引かれているかわりに、線と線の交点部分に小さな点（ドット）が打たれているのです。ある程度自由に書きたいけれども、まったくガイドラ

インがないのは不便だ、というある種「わがまま」なニーズに応えてくれるスタイルといえます。

　一般的なノートでは、こうした罫線のスタイルはすべてのページにわたって統一されています。1ページ目が横罫線なら、残りのすべてのページも横罫線になっている。当然の感覚です。しかし、新種のノートでは、左右のページが異なるスタイルになっているものも生まれています。左は罫線、右側は方眼といったアシンメトリー（左右非対称）なのです。左側のページではメモを箇条書きし、右側のページではコンセプトを図でまとめる、といった使い方の組み合わせができるこうした新しいノートは、「どんな風に使っていこうか」という考えを刺激してくれるワクワクするツールです。

　横罫線、方眼紙、無地、ドット方眼……ノートの罫線はいろいろ。このようなフォーマットは書き方を規定する。

# 006

# サイズと使い心地

　ノートの使い勝手において、その形式と用紙は大きな要素となりますが、それと同じくらいに重要なのがサイズ、つまりノート紙面の大きさです。

　この紙面サイズも、用紙のスタイルと同じようにいくつかの類型があります。詳しい情報はJIS規格を調べるとわかりますが、単に使うだけならそこまでマニアックになる必要はありません。A4用紙やB5ノートといったA系とB系があること、後ろにつく数字が大きくなるほど、紙面サイズが小さくなることを理解していれば十分でしょう （数字が1つ増えると紙面サイズは半分になります）。

　文具店にいけば、A8というとびきり小さいサイズから、A3という巨大なサイズまで段階的なラインナップがあり

〈サイズの対応表〉

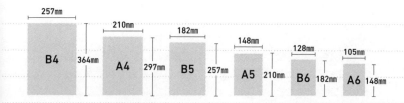

ます。その中でも一般的に入手しやすいのがA4、A5、B5の3種類です。さらにB6や名刺サイズと呼ばれる小さいサイズは、メモ帳やミニノートでよく用いられています。

## ノートに「大は小を兼ねる」はない

さて、「大は小を兼ねる」という諺がありますが、残念ながらノートについては当てはまりません。大は大の良いところがあり、小には小の良いところがあります。

小さいサイズの場合、ノートの取り回しの良さが魅力です。狭い机の上でも広げられたり、手で持って記入しやすかったりなど、シチュエーションへの対応力が上がるのです。「小回りが利く」といってもいいでしょう。一方で、ページ1枚あたりに記入できる量は限定的です。その場合、詳細な情報を記述したり、考えをどんどん発展させたりしていく、という使い方には向きません。むしろ小回りの良さを活かして、即座に考えを書き留める用途に向いています。

大きいサイズの場合、先ほど挙げた小さいサイズとは逆の特性を持ちます。広げられる場所を選ぶかわりに、詳細な情報を書き込めたり、考えを展開したりすることが可能です。時間をかけてでも情報の密度を上げたり、展開していったりする場合には大きく広いノートが欠かせません。

## 道具である以上、使い心地は重要だ

　一見すると、大きいノートなら記入量が少なくても書けるが、小さいノートでは多い記入量に対応できないのだから、大は小を兼ねるかのように思われるかもしれません。しかし、A4の巨大なノートに、1行だけちょっとしたメモを書き込むことが「心地よく」できるでしょうか。

　もちろん、物理的な正否でいえば「できる」わけですが、心理的にもそれが正しいとは限りません。何となく後ろめたい気持ち、もったいない気持ちが湧いてくるのではないでしょうか。ノートという道具は人間が使うものであり、人間の心理（気持ち）がそこにかかわってきます。それを無視して「こう使えるから、こう使うべし」となってしまうのはあまりにも機械的なものの見方でしょう。そういう視点は少し寂しいものです。

　むしろ、「人間が使う道具」としてノートを評価するならば、そうした心理こそを重視すべきでしょう。別段原理主義的にそうした心理さえあればいい、なんて話をする必要はありません。道具を使うということを考えるときに「使い心地」という観点を外さないようにすればいいのです。

　そうすれば、道具との良好な関係が築いていけます。逆

に、それができなければ、「道具を使っている」よりも、「道具に使われている」「道具を使わされている」という感覚が強まり、ノートに付随するあらゆる行為に嫌気が差すようになってしまいます。これは避けたいところです。

人間と道具の良好な関係とは「道具を使っている」と「道具に使われている」という感覚が共に立ち上がり、溶け合って融合してしまうような状態において成立するものです。そのバランスが崩れてしまうと、行為も不満足なものになってしまうでしょう。だから道具だけを見つめるのではなく、また人間だけを見つめるのでもない、両方の視点をキープしておきたいところです。

**組み合わせて考える**

そのように考えれば、一つのノートで万難を乗り越えるのではなく、異なるサイズ・形式・用紙を組み合わせて問題を解決していくのが良さそうだとわかります。

> ノートに「大は小を兼ねる」はない。大きいノート、小さいノート、それぞれ書けることは異なっている。

# 007

# 紙質と書き心地

ノートの紙質も使い勝手と関係があります。しかし、日本においてはそこまで気になることはないでしょう。販売されているノートのクオリティーが軒並み高いからです。紙の質が悪すぎて書けたものではない、という経験をすることは稀なはずです。その意味では、安心してノートを買うことができます。

## 厚いもの

もちろん、最低限度のクオリティーだけでなく、より良いものを求めることもできます。一般的に紙の質は坪量（つぼりょう）と呼ばれる紙の重さ（単位は g/m²）で測られることが多く、その数字が大きいノートは「高級品」として扱われます。たとえば、たとえばツバメノー

〈ツバメノートの大学ノート〉

ト株式会社が発売している大学ノートは83.5グラム/m²の紙が使われており、一般的なノート（JIS規格が定めるのは75グラム/m²）よりも、ずいぶんと重みがあります。当然ノートの書き心地にも違いが生まれます。

## 薄いもの

とはいえ、「重ければ偉い」という単純なものではありません。熱狂的な愛好者がいるトモエリバーという手帳向け用紙は、非常に薄く軽い紙でありながも、素晴らしい書き心地を提供してくれます（有名な「ほぼ日手帳」でも使われて

〈トモエリバーを使った「ほぼ日手帳」のノート〉

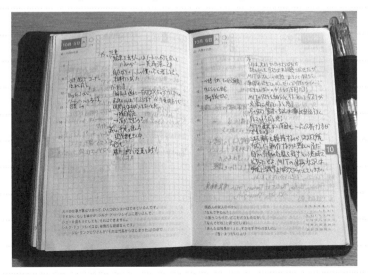

います）。以前までは巴川製紙所で製造・販売されていたこの「トモエリバー」は、多くの愛好者からの存続の要望を受けて石川県の三善製紙に譲渡されています。こうしたことからも、紙質が些細な事柄ではなく、多くの人が関心を寄せている対象であることがわかります。「何でもいい」というわけではないのです。

　自分の好きな書き心地もあるでしょうし、使っているペンとの相性もあるでしょう。特に万年筆などは相方となる筆記具を選ぶものです。そうした組み合わせで「最強のタッグ」を見つけることは、ノートを使う楽しみでもあります。

**色も重要**

　もう1つ、ノートの紙についてあまり注意を向けられないのがその「色」です。一般的に入手できるノートは白色が多く、高級ノートになるとベージュなどの選択肢が出てきます。よく使われる筆記具が黒色なので、当然の傾向かもしれません。しかし、「色」は重要な要素なので、惰性で選ぶのではなく、もう少し注意を向けたいところです。

　たとえば、方眼紙だと線の色が黒色だけでなく、薄い灰色や濃い緑色だったりするのですが、それでずいぶんと書

き心地（主に心理的なもの）が変わってきます。ノートというのは書くための「環境」であり、環境が人間に与える影響は存外に大きいのです。青色の食器を使うと食欲が湧きにくいと言われていますし、赤色の壁紙に囲まれていたら落ち着くのは難しいでしょう。同じように、ノートの色も人間の心に作用を与えます。

　もし、コピー用紙も広義の「ノート」であると考えるなら、色画用紙もノートだといえるでしょう。ですので、一度試してみてください。黒色の画用紙に、白色の修正ペンを使って文字を書くのです。きっと白色の紙に黒のペンで文字を書くのとは違った感じがするはずです。

　このように色の選択もノートを「構成」する要素です。状況に応じて白やベージュ以外の色も使えるようにしておきましょう。

### デジタルの書き心地

　付言すれば、デジタル端末で使えるノートアプリは、ペンの色がさまざまに選べますし、用紙の色を自分で設定したりもできます。その意味ではたしかに高機能です。しかし、ノートの「書き心地」については基本的に常に同じです。端末（と保護フィルム）＋使っているペンの組み合わせ

で一意に定まってしまうのです。かりかりした書き心地や、ぬめぬめした書き心地を状況によって使い分ける、ということができません。重ねていいますが、書き心地は決して軽視できない影響を持ちます。その意味で、ある部分で高機能だからといってその全体が上位互換である、という認識は持たない方がよいでしょう。

ずっと使っているノート選びには、書き心地も重要。
書いていて楽しいかどうかも忘れないように。

#008
# 1冊全体の使い方

　ノートの選択肢が確認できたので、次は「ノートの書き方」に移りましょう。

　とはいえ、ノートの書き方なんかに種類があるのでしょうか。実はあります。それもたくさんあります。

**冒頭のページを空けておく**

　まず、表紙を開き、1ページ目から順番に書いていくスタイルです。もっとも一般的な書き方でしょう。

　このアレンジとして、最初の数ページは空白にしたままで書き始めるパターンがあります。

　その空白スペースは、「目次」や「インデックス」として後から充実させていくのです。ページ数が多いノートを使う場合は、こうした目次やインデックスを自分で作っていくとノートを使うのがたいへん便利になります。

　おおむねの目安として、そうした領域には2〜4ページほどを割り当てておけばよいでしょう。また、後述する「ナンバリング」が役に立ちます。

## 前後両方から書いていく

　次に、単に前から書くだけでなく、前後両方から書くこともできます。たとえば仕事の日誌的なものは前から書いていき、プロジェクトの情報は後ろから書いていく、というスタイルです。1冊のノートに複数の情報をまとめつつ、しかも記述が入り交じらないので効果的に使えます。当然、両方の記述が出会ったらそのノートは終了となり、新しいノートに移ることになります。

　アレンジとして、ページは前から書いていき、目次領域は後ろに置く、というやり方もあります。この場合は、あらかじめページを割り当てる必要がないので、目次ページが後から増えても対応できます。本の目次はたいてい前についているので不自然に思えるかもしれませんが、使ってみるとそんなに不便でないことがわかるでしょう。

## 見開きの片方を空けておく

　綴じノートではなくリングノートを使う場合、片側のページだけを書き込んで、もう片方は空けておくという、少し贅沢な使い方もできます。机などに広げて使う場合は、どちら側のページであっても記入スタイルに違いはないのですが、手に持って使う場合などはいちいちノートをひっく

り返さなければなりません。片側だけの記入であれば単に
ページをめくるだけで良いので利便性が高いのです。つけ
加えれば、片側しか使っていないと、スキャナなどで取り
込むのも楽になります。

　綴じノートであっても、片側だけの記入にはメリットが
あります。後から情報を追記しやすいのです。

　見開きのページをすべて埋めてしまうと、後からの追記
は難しいでしょう。記述すればそれでOKとなるような変
化のない情報の場合はそれでもよいのですが、後から結果
を書き込んだり、後から考察を書き足したりといったアク
ションを取る場合、余白を設けることが効きます。その余
白を1ページ分空けておくのが片側だけ記入するというス
タイルなわけです。

　このように、単に情報を書き込んで終わりというのでは
なく、情報に対するアクション（修正、追記、編集など）を考
慮した上で、ページの「間取り」を設計していくのもノー
トを使うコツと言えるでしょう。書くだけでなく、ときに
は「書かないこと」もノートを使う上では必要なのです。

　もちろん、どんな書き方をしても自由なのがノートの良

さです。ここで紹介した以外の書き方もぜんぜん可能でしょう。たとえば見開きの片側だけでなく、見開きの両セットを「余白」とするようなより贅沢な使い方もできます。また、ノートの前後両方からだけでなく、中心から前と後ろに書き進めるというトリッキーな書き方も可能です。どんな風に使うと便利に使えるのか。想像力を働かせながら考えていきたいところです。

目次のために冒頭数ページを空けておく、追記のための余白を空けておく。「書かない」ことも使い方のコツ。

# #009
# ページ全体の使い方

　ノート全体が前からでも後ろからでも書いていけるように、1枚のページも自由に書くことができます。

　にもかかわらず、「頭」から書かないといけないと思い込んではいないでしょうか。上から下に順番に書いていく、1行目の一番左から言葉を詰めていく。そういう書き方が当たり前だと認識していないでしょうか。実際、ノートの書き方はもっと自由なのです。

## ページの中心から書く、余白を空けて書く

　たとえば、マインドマップと呼ばれる手法では、ノートを上からではなく中心から書き始め、そこから放射状に記述を広げていきます。名前は違えど似たような書き方をするメソッドはたくさんあります。そのやり方は、まずノートの中心に「来年の目標」など考えたいテーマを書きます。そして、その周囲に連想されることを書きます（「来年の目標」の場合、「私事」「仕事」「健康」「家族」など）。それが書けたら、さらに細かく連想することを書いていきます。そうすることによって、どんどん具体的になっていくわけです。

〈マインドマップの作成法〉

①まず中心に考えたテーマを書く

②周囲に連想することを書く

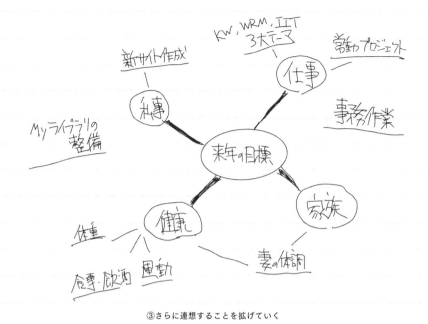

③さらに連想することを拡げていく

### 行の間隔を広く取る

　また、上から書いていく場合でも記述と記述の間隔を広く取る書き方もあります。ある行を書いたら、2〜3行空けて次の行を書く。そういう書き方をしておくと、後からの追記がしやすくなります。英語の文章を訳したい場合などには効果的な書き方です。

　読書メモでも引用と引用の間隔を空けておくことで、後から自分の考えなどを書き留められるようになります。

『庭のかたちが生まれるとき』
"つまり、子どもたちにとって、線は引かれた瞬間に
自らの行為を拘束する"

詰めないで空けておき、追記できるように

"要するに、この庭そのものが庭の設計図なのだ"

"仮置きは仮のものでしかない。しかし、この庭＝設計図の
なかでは強力な効果を発揮するのだ"

後から自分の考えを書けるようにしておく

## あなどれない「枠」

　こんな風にページも頭から順番に埋めていく必要はなく、中心から始めたり、途中を抜かしたりすることが可能です。考えてみると、ノートのページにタイトル欄が設けられているのも、とりあえずそこは空けておいて、中身を書いた後でタイトル欄を埋められるようにしているとも捉えられます。逆説的なようですが、「欄」という枠があることで

むしろ私たちはノートをより自由に使えるようになるのです。もう少しいえば、枠が規定する使い方が、それまで自分が当たり前だと思っていた使い方を揺さぶってくれるのです。枠の存在も軽んじてよいものではありません。

**枠を自作する**

　もっと積極的に枠を使うこともできます。物差しなどを使って自分で線を引き、あらかじめ特定の領域を設けておくのです。たとえばページの左右（左ページなら左側、右ページなら右側）に5センチほどの間隔で縦線を入れておけば、そこを補足情報を書き込む場所として使うことができます。あるいは下部に横線を入れておいて、自分なりのまとめを書き込む場所として使ってもよいでしょう。領域を作り、そこに役割を持たせることで画一的な記述に変化を持たせるわけです。

　こうした領域設定の手法としてはコーネルメソッドが有名です。あらかじめそれに合わせた線が引かれたノートなども発売されています。あるいは、自分なりに線を引き、自分なりに領域の役割を設定してみてもよいでしょう。ページの途中に四角形の線を書き込んで、そこにコラムを書き込むといった使い方もできます。そこまでいけば、書籍や雑誌の誌面をデザインするのとほとんど変わりありません。

そういう自由さと楽しさがノートを使う工夫には溢れています。

〈コーネルメソッド〉

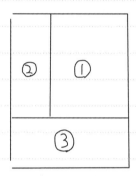

①ノート：主となる領域。全体のノートを書く

②キーワード：補佐する領域。ノート部分から重要だと思うキーワードを抜き出す

③サマリー：ノートの内容を自分の言葉で2〜3行にまとめる

デザインの感覚で枠を考えてみる

1行目から書いていくことは絶対ではない。雑誌のレイアウトのようにデザインする感覚で使ってみること。

# #010
# 記述の仕方いろいろ

　ページの書き進め方を確認したので、次は記述の仕方をみていきましょう。

## 文字

　まず普通に文章（テキスト）を書くスタイルがあります。一般的な方法ですね。さらに手書きであれば、イラストや図を加えることもできます。文字情報だけでなく図版情報もセットにできるのが手書きノートの魅力です。

〈文字と図をセットに〉

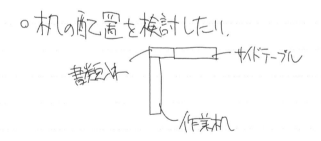

図を描いてみるとイメージ豊かに

## 記号

　さらに記号を使う方法もあります。たとえば重要なものには星印をつける、といったやり方はよく使われているでしょう。星印も黒く塗りつぶす星と枠線だけの星などのように複数のパターンが考えられます。

〈記号を使った記述〉

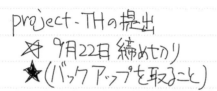

**自分なりのルールを決めておくとよい**

## 線を引く

　図と記号の間のようなものとして「線を引く」という記法もあります。強調したい言葉に引く下線、ある要素と別の要素の関係を示すために間に引かれる線（グラフ理論におけるエッジ）、ある領域と別の領域を分けるために引かれる区切り線（境界線）。それぞれに役割が異なっています。ただ線を引くという行為だけでこれだけの意味を持たせられるのですから驚きでしょう。さらに、線の端に三角をのせれば「矢印」に変化します。流れの方向性を示せるように

なるわけです。表現力のパワーアップですね。

〈線のいろいろ〉

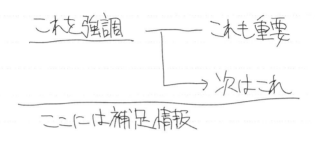

**文字と線だけで情報の構造や関係が示せる**

## 丸で囲む

　また、線だけでなく丸で囲む記法も簡単ながら有用です。下線と同じく強調にも使えますし、複数の要素を囲むことでそれがグループを形成していることを示せます。

　こうした記述のスタイルに加えて、「ペンの色」がバリエーションを加えます。重要な言葉は赤ペンで書き、自分の感想は青ペンで書く、などといった情報の意味合い（文脈）を色によって表現する手法です。当然この色は図版にも記号にも線にも使えます。それらを組み合わせると、かなりのバリエーションが生まれるでしょうが、あまり多くなっても使う側の人間が（つまり自分が）覚えられないので、普

段は5個くらいの記法で運用し、ときどき重要なものについては特別な記法を使う、という塩梅がよいでしょう。

〈丸で囲む〉

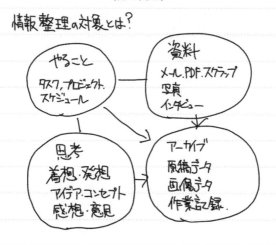

丸と線でいろいろな関係を描ける

こうした書き分けをしておくと、後からノートを読み返すのがすごく楽になります。どの部分を拾い上げればいいのかが視覚的にはっきりしているからです。その意味で、こうした記法は「のちの自分のための工夫」と言えるでしょう。

記号、線をひく、丸で囲む、色を変える……使うものを決めて書き進めていければ、見直すときもラク。

# #011

# 箇条書きの3要素

　記述の仕方を定型的にまとめたものを「フォーマット」と呼びます。日本語では書式や様式と呼ばれるものです。ノートを書くうえでもこのフォーマットは有用なのですが、その中でも一番手軽で、一番便利なフォーマットが「箇条書き」です。あらためて説明が不要なほどポピュラーな技法ですが、その解説だけで1冊の本が書かれているくらいに奥深い技法でもあります。

　箇条書きは、基本的に「記号・インデント・テキスト」の3つの要素で構成されます。

〈記号、インデント、テキスト〉

買い物メモ

・牛乳
・カレー
　・じゃがいも（安いやつで川）
　・ニンジン
　・たまねぎ
・ゴミ袋

「・」が記号、字を下げるのがインデント

難しい記法はまったくありませんが、ただこれだけの要素で「情報構造」が示されているのがわかるかと思います。まず、行頭についている黒丸（バレットと呼ばれます）のおかげで、並んでいる要素たちが並列であることが示されます。例で言えば「牛乳」と「カレー」と「ゴミ袋」が同じグループに属していることが示されるのです。さらに、インデント（空白）のおかげで、情報の親子関係も示されます。「じゃがいも」「ニンジン」「たまねぎ」は、「カレー」の子要素であり、「牛乳」「カレー」「ゴミ袋」は、「買い物メモ」の子要素である、といったことがわかるわけです。

　こうした情報構造を使うことで、バラバラに散らばりがちな情報を手軽に整理することができます。非常に有用なフォーマットです。ちなみに、よく使われている「タスクリスト」や「Todoリスト」などのリストも、「箇条書き」を用いての情報整理と言えます。その意味で、仕事の現場でもよく使われているフォーマットでもあるのです。

　ここまで紹介してきたように、一口に「ノートの書き方」といってもそれを構成する要素は多数あります。ノート全体の使い方、ページの使い方、記述の仕方、フォーマットの使い方、……こうして物事を見つめる解像度を上げれば、

多様な要素に分解できるものです。もし「ノート」を大雑把に捉えていたら、その使い方なんて決まり切っているかのように思われるでしょう。しかし、詳しく見ていけばいくらでもバリエーションの発掘は可能です。千差万別の使い方ができるのです。だからこそ「自分なりの使い方」を構築していける可能性がそこにはあります。

箇条書きの基本である「記号・インデント・テキスト」は有用な記述法。これでかなりの情報が整理できる。

# アウトライナー

- ⬚Inbox
- ⬚Notebook
  - Fragment Processer
  - 小文字の技術
  - ▸ 今メルマガで書きそうなこと
    - ⬚shortbox
  - Knowledge Walkers:
  - Textboxの開発:
  - project-TH:(隔週木曜日原稿送信)
  - project-PT:(毎週金曜日原稿送信)
  - 環読プロジェクト:2023年『人を賢くする道具』第六章
  - project-LM:(校了)
  - 直近のいろいろについて
  - 日記的なものを書くためのエディタを考えたい
  - 『ふつうの相談』が面白かったので、自分の仕事に引きつけて考えたい
  - 『作家の仕事部屋』を読み終えた
  - 情報の粒度を上げる方式を、自分が書いたこと、考えたこの管理に当てはめてみる
  - 思考のホーム、情報のホーム
  - アマチュア思想家宣言
  - TH+再構成後の全体
  - 『ブックカタリストブックスvol.1』(表紙作成依頼)
  - 情報には流れがある

〈WorkFlowyの画面〉

　1つ以上の階層で構成される箇条書き（リスト）は、「ア
ウトライン」と呼ばれることがあります。そして、デジタ
ルツールでその「アウトライン」を操作するためのツール
としてアウトライナーがあります。この「アウトライナー」
は固有のツール名ではなく、ワープロや表計算ソフトと同
じようなカテゴリの名前です。たとえば、Webブラウザか
ら使えるWorkFlowyやDynalistといったアウトライナー
があります。

　こうしたアウトライナーは「買い物メモ」のようなリス
ト管理だけでなく、文章の構成を考えたり、自分の行動管
理に使えたりとさまざまな可能性を秘めています。もし、
デジタルノートに興味があるならば、この「アウトライナー」
から入ってみるとよいかもしれません。フォーマットが持
つ力を十全に体感できるツールです。

# 012

# 情報の外側と内側

　ここまでは「書き方」の種類の話でしたが、書かれる「内容」にも種類があります。たとえば、外側と内側の2種類で分けるとイメージしやすいでしょうか。

〈外側・内側の内容を書き分けた記述〉

『人を賢くする道具』

　　　"大量の資料を効果的にうまく構造化することで
　　　　　　　組織的に整理することができた"

　✗「組織的」とはどのような意味だろうか?
　　　　┗→ 会社組織との呼応はどうか?

**情報には外からくるもの、内からくるものがある**

## 「外側」の内容とは

　外側とは、自分以外の人からもたらされる情報のことです。ニュース記事や、講義内容、そして会議の伝達事項などが代表例です。対して内側の情報は、自分自身が思いついた事柄のことで、着想や感想などがそれにあたります。

　一般的な傾向として、外側の情報を記録するとき人は書きすぎる傾向があり、内側の情報を記録するときは書き足

りない傾向があります。つまり、講義内容であればすべての板書を正確に書き写そうとしてしまうのに、自分が思いついたことは単語レベルの書き留めで済ませてしまうのです。しかしながら、外側の情報は調べればわかることも多く、すべてを正確に示す必要はありません。要点だけを書き留めれば済むのです。一方で、内側の情報は時間が経ってしまうと書いた自分ですら何について書いたのかを忘れてしまうことがあります。もちろん、そんなときにググっても答えが得られることはないでしょう。よって、外側からの情報はより絞り込んで書き、内側からの情報はより精緻に書くというバランスの取り方が大切です。

## 「内側」の内容とは

　内容の種類は「事実」と「意見」で分けることもできます。事実とは、実際に起きた出来事やそれに関するデータのことで（哲学的にややこしい議論をさておけば）誰にとっても同じ情報を意味します。一方で意見とは、そうした事実に対して各々が感じたこと、考えたことになります。この2つをごちゃまぜにしない、というのは執筆術でよく言及される指針ですが、同じことはノートを書く際にも言えます。この2つを区別なく扱ってしまうと、論旨が混乱し、情報が混線し始めるのです。そこでここまで紹介してきた「書

き方」の技法を使い、自分の意見には特別な記号をつけたりペンの色を変えたりすることが有効です。

　というのは、指針というか理念としてはわかりやすいのですが、実際にやってみると案外に難しいことがわかります。私たちは普段情報に触れるとき、どうやらそこまでこの2つを区別していないようなのです（だからこそ警句として上記のような指針が示されるのでしょう）。だからはじめのうちは、うまく区分けできなくても気にする必要はありません。ちょっとしたトレーニングや練習のような気持ちで取り組むのがよいでしょう。自分が書こうとしているのは事実なのか、それとも情報発信者の意見なのか、それとも私自身の意見なのか。そこに注意を向けるようにしておけば、少しずつその区別ができるようになります。

〈2種類の情報の分け方〉

| 外側 | 内側 |
|---|---|
| 事実・（ほかの人の）意見 | （自分の）意見 |

のちのち思い出したくなるのは、そのとき自分で考えたこと＝「内側の情報」。この記述をおろそかにしない。

# #013
# 記述を発展させる

　書き留められたノートは一度書いて終わりではありません。後から読み返すこともそうですが、読み返しながら書き加えることもできます。発展させていくのです。

　もちろん、すべての記述がそのような発展性を持っているわけではありません。誰かの住所を書き留めた記録は（その人が引っ越ししない限りは）発展することがないでしょう。つまり、ノートの内容は発展せずにそのまま静止しているもの（staticなもの）と、書かれた後に発展し変化していくもの（dynamicなもの）があるわけです。

## どうやって発展させるのか

　staticな内容については、書き方に工夫は不要です。後から参照できるように整えておく（文字をきれいにする、インデックスなどを作る）だけで十分役に立ちます。しかし、dynamicな内容については、その発展を考慮して書き方を考える必要があります。余白やページを空けて記述する、あるいは境界線を引いて欄を分けるといった書き方が役立つのはこうした状況です。ぎゅうぎゅうに詰めて書き込んでしまうと、どうしてもその後の発展が阻害されます。畑

で作物を育てるときも一定間隔で種を植えていくことが重要ですが、それと似たような感覚を持つとよいでしょう。育てたいものは、余白を設けておく。ノートの書き方においては大切な指針です。

## リンクさせる

では、発展させるとしてそこにはどのような書き方があるでしょうか。ひとつは、後からわかった事実を書き加えるという方法があります。いわゆる補足です。さらに、別のページに書いてある内容と関連性を感じたなら、それを記すという方法もあります。現代的に言えばリンクです。このリンクにおいては、後に紹介するタイムスタンプ（68頁）やページ番号（ノンブルとも、71頁）が活躍します。

## 後で加筆

単純に、読み返したときに思いついた感想や疑問を書き込んでもいいでしょう。自分の「意見」を後から書き加えるわけです。もちろん、自分の「意見」がノートに書いてあるなら、その意見に対しての今の自分の「意見」を書くこともできます。どんどん重層的に重ねていけるのです。

とはいえ、アナログのノートの場合、目いっぱい余白を

空けていたとしても追記できる量には限界があります。昔からこうした発展に「情報カード」が使われているのはそのためです。カードを使えば、空きスペースの量を気にすることなく、意見に対する意見、その意見に対する意見、といくらでも発展させていけるからです。同じことはデジタルのノートツールでもできるでしょう。

### 紙のノートは有限か

　では、綴じノートではそうした発展はできないのかというと、そういうわけでもありません。ノートは自由なのでした。どこから書いても、どのように書いても自由なのです。よって、追記したいけれどもスペースがないならば新しいページを作ってそこに書けばいいのです。そしてその2つのページ（もともとのページ、追記用のページ）をリンクすればOKです。

　人間というのは不思議なもので「追記用のスペースを作ったのだから、追記はここに書かなければいけない」と思いがちですが、実際はそんな制約はどこにも存在していません。必要に応じてページを拡張していきましょう。

> **ノートは情報を発展させていくことができる道具。これはという情報を書くときは、余白をとっておくこと。**

# 014

# タイムスタンプの重要性

　単に中身を書くだけでなく、中身を補佐する情報を記入するのも便利です。そうした情報は「情報についての情報」ということで「メタ情報」と呼ばれています。

　メタ情報には、作成者、作成日、作成したツール、作成した場所といったものがあります。

　個人のノートでは、作成者は常に自分ですし、作成したツールもそれ自身なので明白です。唯一自明でないのが「作成日」で、このメタ情報を自分で添えておくとぐっと利便性が上がります。

**タイムスタンプで利用度が格段に上がる**

　何かしらの情報を記入したときに、その日付や時間を書き込む行為は「タイムスタンプ」と呼ばれます。もともとは、時刻印という意味の言葉、文書に押印された日時のことを指しますが、判子を使わなくても時刻を書き込むことは簡単にできるでしょう。ちょっとしたメモ書きでもこのタイムスタンプをつけておくと、情報の利用度を上げられます。

〈タイムスタンプ〉

タイムスタンプのいろいろ
　　9/12　　　　　　　日付のみ
2023, 9. 12　　　　　年月日
2023/9/12　18:12　　年月日＋時刻

**タイムスタンプは思考の流れを表す**

## どこまで詳しく書くか

　その書式（フォーマット）も、多様です。毎回フルで年月日を記入する方法もありますし、ノートの最初に「年」を記入しておいて、後は「月日」だけにする方法もあります。手間を厭わないなら時刻や秒を記入することもできますが、ごく普通の用途であれば「時間」と「分」があれば十分でしょう。

　一見すると、年月日だけを書く方法とその時刻まで書く方法は、情報の細かさだけが違いになるかのように思えます。しかし、実際は異なるのです。たとえば、2023年の3月24日にメモ書きが3件発生したとしましょう。年月日だけの場合であれば、それらのメモの作成日のメタ情報はすべて同一になります。一方で、時刻まで添えて記入して

おくとそれらのメタ情報はすべて異なるようになります。この「すべて異なる」がポイントです。

　それぞれに違ったメタ情報が添えられているなら、それはID（identification）として機能します。つまり、タイムスタンプはそれぞれの情報のID番号としても機能してくれるのです。たとえば、いちいち細かく内容を書かなくても「2023年3月24日8時19分のメモ」とだけ書けば、それがどのメモを指しているのかを特定できます。その日に50件メモがあっても、100件メモがあってもいちいち探し回る必要がありません。

　このようにメタ情報を添えておくと、それがフックとなって別の情報と結びつけることが容易（たやす）くなります。逆に言えば、メタ情報がまったくないとその情報はただ単独で存在することになりかねません。ですので、許容できる手間の範囲の中で作成日などのメタ情報は書き残しておくのがよいでしょう。

> **日付＝タイムスタンプは最強の「メタ情報」。シンプルなようでいて、後々、思考の流れを追える情報になる。**

#### #015

# ナンバリングの利便性

　メタ情報のアレンジとして「ナンバリング」があります。1、2、3と番号を振っていく行為ですね。

　このナンバリングにはページそのものに番号を振るバージョンと、ノートに書いた一つひとつのブロックに番号を振っていくバージョンがあります。

## ページに番号を振る

　前者はすごく単純で先頭のページから順番に、1、2、3と書いていく方法です。書籍などではノンブルとも呼ばれています（nombreというフランス語で、英語で言えばnumberです）。前述した通り、このノンブルを振っておくと、あるページの記入中に別のページを参照したくなったときに便利です。「この語句の詳しい説明は5ページに書いてある」などと記入することで、前のページ、あるいは先のページとのリンクが結べるようになるわけです。つまりこれも、ID番号として機能しています。

　ちなみに、最近ではあらかじめノンブルが振ってあるノートブックなども発売されています。毎回手書きするのが面

倒という場合はそうしたノートを使ってみるのもよいでしょ
う（著者は、こつこつページ番号を記入していくのが好きなのであまり
気になりませんが）。

〈ノンブル入りのノート〉

写真：ノンブルノート「N」（株式会社ノウト）

## ブロックに番号を振る

　もう1つのナンバリングの方法は、ページ単位ではなく
ブロック単位で番号を振っていくやり方です。何かひとつ
の塊を書いたらそれを「1」とし、次に何か塊を書いたら
「2」とする。これも単純な方法でしょう。

　代表例としては「アイデアマラソン」があり、こちらは
自分の着想をナンバリングしていく方法ですが、実際その
対象はアイデアに限られません。読書日記でも議事録でも、
何かしらを継続的に記入していくノートなら活躍してくれ

ます。ひとつには、ナンバリングをすることによって総個数のカウントが容易くなること、もうひとつはそれぞれのブロックにIDを割り振れるようになることがあります。

〈アイデアマラソン〉

2023年9月11日 ① コモンプレイスブックとDJ
　　　　　　　　　　過去作品へのリスペクトとDiggの精神

2023年9月11日 ② 知的生産における反生産性
　　　　　　　　　　イリイチの視点でITツールを検討する
　　　　　　　　　　ジョブズのBicycle (知的自転車)

2023年9月11日 ③ 本を読むこととインプット
　　　　　　　　　　本を読むことは情報を頭に入れることではなく
　　　　　　　　　　ある種の経験であり、トリガーでもある.

**日付けと番号が決まっていれば便利**

## 情報にIDを与える

　しつこいようですが、個々のブロックに違った数字を割り当てればそれがIDになります。タイムスタンプは「作成日時」というメタ情報がそのIDになったわけですが、ナンバリングは「何個目か」というメタ情報がIDとなるわけです。つまり、作成日や順番のメタ情報を添えることで、情報に住所が生まれ、住所があればやりとりできるよ

うになる。そういう寸法です。

　もし、ページ単位のナンバリングを採用すれば、情報グループのサイズは大きくなります。都道府県レベルの住所です。対して、ブロック単位のナンバリングであれば、市町村レベルの住所になり、もっと細かいグループが作れます。このどちらが良いかは、自分がどの大きさで情報を参照したいのかによって変わってくるでしょう。

　ちなみに、タイムスタンプは作成日だけ書いておき、個々のブロックに対して番号を振っていくという「合わせ技」作戦もあります。「3月23日の4番目のメモ」といった指定の仕方をするわけですね。アレンジの仕方は他にもいろいろあるでしょう。

　最後につけ加えておくと、ノートブックそのもののナンバリングもあります。1冊目のノート、2冊目のノート、とノートそのものにも番号を振っていけば、「3冊目のノートの5ページ目」という指定もできるようになります。少しずつ自分が使っているノートの数字が増えていくのも楽しいものがあります。こういう楽しさを忘れないのも、長期的にノートを使っていくうえで大切なことでしょう。

　　タイムスタンプとナンバリングをあわせて、ある情報に
　　固有のIDを設定することが可能になる。

# #016

# 貼りつける

　ノートは、文字や図を書くだけのツールではありません。さまざまなものを「貼る」こともできます。

　たとえば、書類の必要な部分だけを切りとって貼れば転記の手間を省略できます。折り畳んだ書類をそのまま貼りつけることもできるでしょう。資料と自分のノートをセットにしておくことで、資料を探す必要を減らせます。

　趣味的なもので言えば、記念に撮影した写真を貼ったり、イラストや映画の半券を貼ったりして日記の彩りを豊かにする手法もおなじみです。最近は手軽にデジタルデータをプリントアウトできるようになっているので、手書きだけでは難しかった情報をノートに加えやすくなっています。1年分のカレンダーをプリントアウトして貼りつければ、それだけでお手軽手帳のできあがりです。

　それだけではありません。メモを書いた付箋をノートに（転記ならぬ）「転貼」したり、メモ用紙をそのまま貼りつけたりもできます。別のところに書いたものをそのまま引っ越しさせることも可能なわけです。

その考えを発展させると、ノートを改造することもできます。たとえば、コピー用紙などをノートのページの端に貼りつければ、記述面積を広げることができます。あるいは、表紙の裏に「ポケット」を貼りつければ名刺入れや資料入れとしても使えます。ページから少しはみ出る「インデックス付箋」を貼れば、独自のインデックスを作ることもできたり、「しおり紐」をつけることで最新のページにアクセスしやすくできたりもします。

　つまり「貼る」ことは「張る」こと、つまり拡張でもあるのです。私がやった中で一番の拡張は、ノートの背表紙に別のノートの表表紙を「貼る」もので、2種類のノートをセットで運用するというコンセプトでした。さすがにこれは使い勝手が良くなかったのですが、このように「貼る」ことを使えば、アイデア次第でさまざまなアレンジが可能になります。

**ノートは書くだけの道具ではない。他で書いたメモを貼ることもできるし、機能の拡張もできる。**

# #017
# 改造する

　「貼る」以外にもさまざまなノートの拡張方法があります。一番手っ取り早いのは、ノートカバーをつけることでしょう。ノートの保護だけでなく、ペンホルダーやしおりといったギアをワンセットで提供してくれる利便性があります。2冊以上のノートをセットできるカバーもあり、複数冊を運用しているならさらに便利になるでしょう。また、見た目が格好よくなるのも毎日使うツールにとっては嬉しい効果です。

## 余分なものをとってしまう

　上記のように増やす方向の改造もありますが、それとは逆に減らす方向の改造もあります。たとえば表紙が気に入らないならカッターナイフで切りとればよいでしょう。ページ数が多いと思うなら余分なページをちぎり取っても構いません。他にもページの中央に横向きに切り込みを入れると、半分だけページをめくることができるようになります。あるいは数ページにわたってページの上半分を切りとれば、半分は固定的な情報を表示したまま、もう半分は別の情報を表示させられるようにもなります。

具体的には、まずページの上半分に1週間の予定を書き込んでおきます。そして、次のページから7ページは上半分を切りとります。そして、それぞれの下半分を月曜日から日曜日のページにするのです。すると、ページをめくっていけば下半分の曜日部分は変化していきますが、1週間の予定の部分は同じものが表示されるという寸法です。

〈ノートの改造〉

① 上半分に一週間の予定を書く　② 次のページから7ページの上半分を切り取る　③ 残った下半分を月〜日のページとして使う

**オリジナルの使い方はオリジナル思考**

## 自由に使っていい

　こんな風に「増やす」と「減らす」の両方が使えるようになれば、言葉通りノートの改造はいくらでも考えられるようになります。自分の好きなように使っていけるのです。

　私たちの幼少期は与えられた道具をそのまま使うことを要請されます。ノートの表紙に好きなイラストのプリント

アウトを貼りつけていたら、きっと先生に注意されるでしょう。しかし、それは期間限定の特殊な状況にすぎません。義務教育を抜けたら道具は自由に使っていいのです。その「自由に使えること」が道具の本来的な姿です。

　ですので、自分の用途に合わせて書き方や使い方、そしてノートそのものを大胆にアレンジしていきましょう。

ノートの「つくり」自体を変えることもできる。既存のものを柔軟につくり変えても、ぜんぜん構わない。

# 018

# 使うノートは1冊か分冊か

ノートを使うようになると、どこかの時点で「分冊問題」にぶつかります。1冊のノートにすべてをまとめるのか、それともテーマごとにノートを作るのか。これが案外悩ましいのです。「まとめるべきか、分けるべきか。それが問題だ」とハムレット並に考え込んでしまいます。

### まとめるべきか

たとえば、1冊のノートに記述をまとめれば情報の散逸が防げます。どこに書いたのかがわからなくなる、といった状況を避けられるのです。また、持ち運ぶノートも1冊だけになり荷物的な負荷もありません。さらに「この記述はどのノートに書けばいいのか」と悩むこともなくなります。カテゴリがはっきりしているならそうした悩みは発生しないのですが、世の中の情報というのは「Aでもあり、Bでもある」という性質のものが少なからずあります。テーマ別にノートを作ってしまうと、あたかも難しい事件を担当する裁判官のように「この情報はどのノートになるか」を考えなければなりません。1冊ノート方式はそうした悩みから完全に解放されます。

**分けるべきか**

一方で、1冊のノートにすべてを書き込んでしまうと、情報がごちゃごちゃになってしまいます。日記の次のページが会議録のページで、その次が引っ越しの計画、アイデアメモ、映画の感想……。そうした渾沌具合は読み返していると楽しいものですが、目的の情報を素早く探し出すことにはまったく向いていません。もし「情報活用指数」みたいなものを考えるとするなら、その数値はかなり低くなってしまうでしょう。

このように、「あちらを立てればこちらが立たず」のようなトレードオフの関係になっています。

**1冊のノートにすべてを書いている人はいない**

しかしながら、実際はこの2つを極にしたどこかの中間地点に落ち着くものです。「1冊か、分冊か」という2択ではなく、「1冊も、分冊も」という中間的な在り方になるのです。たとえば、「自分は1冊のノートにすべてを書いている」という人がいても、きっと家計簿はそのノートとは別の場所に書いているでしょう。やや不謹慎ですが遺書もきっと別のところに書くはずです。

つまり本当の意味で「1冊のノートだけでやっている」わけではありません。使い分けは発生しているのです。

### 「総合ノート」があるかどうか

では、そこでは何が起きているのでしょうか。

1冊ノート方式は、実際は「総合ノート方式」と呼べるものです。細かいことはあまり考えず、まず思いついたことや目に入った情報を書くための場所として、そうしたノートを使っているのです。いわば情報の総合案内所。そうしたノートを中心的に使いながら、きわめて限定的な用途については別の場所に書く。そういう使い分けが行われているのです。

よって、1冊ノート方式と分冊ノート方式の対立は見せかけのものでしかありません。そこにある違いは「総合ノート」というものを作るのか、作らないのかだけにすぎないのです。

逆に、分冊ノート方式でやっている人でも手帳などを持っている人は多いでしょう。

その手帳は「自分の仕事に関する情報」を雑多に書き込む場所として使われているはずです。つまり総合ノートとしての機能を有しているのです。

だから、分冊問題は「まとめるべきか、分けるべきか」という極端な選択肢ではなく、「どのような総合ノートを

作るのか」を決める問題だと捉え直すのがよいでしょう。
ごく少数のことを書く総合ノートもありえますし、ノート
1冊方式のようにかなり多くのことを書く総合ノートもあ
ります。ここには唯一絶対の正解はありません。自分の用
途に合わせて選択すればいいだけです。

「1冊にまとめるか／複数冊に分けるか」問題は、まず
思いついたことを書く場所はどこか、で考える。

# 019

# 書き終えたノートの扱い

　ここまで紹介してきたように1冊のノートの書き方・使い方はさまざまあるわけですが、最後にもう1つだけ押さえておきたいのが書き終えたノートの扱いです。

　ノートは中長期的に情報を保存することが目的なので、使い終えたノートを捨ててしまうのはもったいないものです。しかし、これまで作成したノートをすべて持ち歩くことは現実的ではないでしょう。そこで、いくつかの対策が考えられます。

**インデックスだけを集めたノートを作る**

　ひとつは、ノートのメタ・インデックスを作る方法です。1冊のノートの中に、そのノートで記述している事項をページ数と共に記録する行為は目次作りや索引作りと呼ばれますが、その行為をノート1冊内に留めるのではなく、手持ちのノート全体に発展させるのです。具体的には、インデックス用のノートを作り、そこにノートAのインデックス、ノートBのインデックス、ノートCのインデックスと手持ちのノートのインデックスをすべて写していくのです。もちろん、そんなことをチマチマやっていたらあっという間

に日が暮れてしまうので、それぞれのノートに書いてある
インデックスをコピーして貼りつけるのがよいでしょう。
そうしたメタ・インデックス用のノートがあれば、どこに
何が書いてあるのかはすぐにわかります。

### スキャンという方法

　あるいは、アナログだけでなくデジタルの力を借りる方
法もあります。1冊のノートを書き終えたら、すべてのペー
ジをスキャンして電子化（画像化）するのです。その際
OCRという処理をかけておけば画像の中に含まれる文字
がコンピュータ上の「テキスト」として扱えるようになる
ので、他のファイルと同じように検索をかけられるように
なります。そうすれば、細かくインデックスを作らなくて
も、必要に応じてキーワードで情報を探せるようになりま
す。手間とメリットのバランスを考えれば、これが現実的
な方法かもしれません。また、一度スキャンしておけばも
ともとのノートは廃棄しても構いませんし、何ならデータ
のバックアップを多重に残すこともできます。冗長性を担
保するには便利なやり方です。

### ほったらかし、もひとつのやり方

　では、こうした後処理をまったく行わない場合はどうな

るでしょうか。基本的には、そうしたノートは忘れ去られていきます。書いた内容を忘れるだけでなく、自分がそれを書いた（そういうノートを作った）ということすらも忘れられます。これはもったいないと感じるでしょう。しかし、それでも別に構わないという選択もあります。ノートに書いたことを忘れるにしても、完全完璧に忘れるわけではありません。部分的に覚えているものはあります。さらに、ノートを書くことで理解が進んだり、新しいアイデアが浮かんだりすることもあるかもしれません。そうした経験を得られたとしたら、もう十分見返りがあったと考えることもできます。

情報の活用度から考えれば過去のノートの放置はたしかにもったいなさは感じますが、それを理解した上で過去ノートをまったく見返さない、という「使い方」もありえるのです。そうした広い意味での「自由」な使い方ができるのがノートの良いところなので、あまり「こうしなければならない」と思い込まないようにしておきましょう。

書き終わったら「そのままにしておく」のもひとつの方法。書いたことは意外に覚えているもの。

# #020

# ノートを自作する

　一般的にノートは文房具店などから買ってくるものですが、自分で作ることもできます。

### バインダーでまとめる

　とはいえ、別に3Dプリンタを持っている必要はありません。コピー用紙を数枚束ねてホッチキスで留めれば簡易ノートのできあがりです。パンチで端に穴を開けて紐やリングを通して括ることもできます。

　さすがにそれでは強度が心配だという場合は、透明のカバーがついたレポートカバーや、A4用紙のバインダーとして使える「HINGE」や「PAPER JACKET」を使ってみてもよいでしょう。

　どういうものでまとめるかにはさまざまな方法がありますが、紙の束からノートを作ることは簡単にできます。そんなシンプルで原始的なノートであっても、何かを書き留めておくという用途は十分に達成できるものです。

〈バインダーでノートをまとめる〉

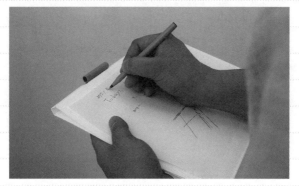

写真：HINGE（idontknow.tokyo）

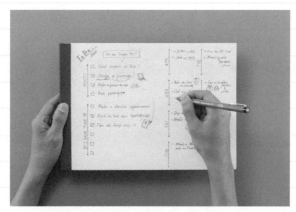

写真：PAPER JACKET（バタフライボード株式会社）

## シンプルだからこそ、アレンジ自由

またシンプルである分、そのアレンジの可能性も開かれ

ています。コピー用紙にあらかじめ罫線やその年のカレン

ダーを印刷しておけば、手帳っぽくも使えるでしょう。1ページごとに違う色の紙を使ってもいいですし、飽きたら途中でまるっと紙を入れ替えることもできます。自由自在です。

さすがにそこまで手間はかけていられないという場合は、自分好みのノートを注文することもできます。「オリジナルノート」で検索すればいくつものサービスを見つけることができるでしょう。名入れができるものから、表紙とページの組み合わせを指定できるもの、ページのデザインを自分で入稿できるものなど、カスタマイズの程度もさまざまです。

さすがにノートを使い始めたばかりのときに、こうしたカスタムノートに手を出すのは敷居が高いかもしれませんが、ある程度使い慣れてきて、市販されているノートに物足りなさを感じたらノートそのものをアレンジする方法も検討してみてください。

**自分なりの使い方を極めて、使い方に合わせて完全なオリジナルノートを自作するのも楽しい。**

# 021

# デジタルのノート

　現代でノートについて考えるときに、避けては通れないのがデジタルノートの存在です。現代ではまだ「ノート」といえばアナログの道具を思い出すでしょうが、義務教育でデジタル端末を使うことが当たり前になってくれば話は変わります。もしかしたら、EメールからEの文字が少しずつ使われなくなったと同じようにノートもデジタルのそれが意味されるようになるかもしれません。

　だからといってデジタルノートはアナログノートの上位互換というわけではありません。2つの道具はそれぞれに長所と短所を持ち合わせています。

## アナログノートの長所

　アナログノートは、速記性に優れ、本書で紹介したようにさまざまなアレンジが可能です。デジタルノートであってもアレンジは可能ですが、それはアプリケーションが設定した範囲でのアレンジであって、「ページの上半分を破る」とか「別の紙を貼りつけて拡張する」といったことはできません。それをしようと思えば、自分でプログラミングを覚える必要があります。その点、ノートは （想像力があれば）

誰でもアレンジが可能です。


**デジタルノートの長所**

　一方で、デジタルは情報の保存に秀でています。ごく小さいSDカード1枚でも、アナログノート1000冊分程度の情報なら余裕で保存可能で、しかもそこからキーワードによって検索をしたり、編集日順に並び替えをしたりといったことも可能です。大量に情報を扱うならばデジタル以外の選択肢はないとすらいえるでしょう。

　逆に言うと、デジタルでは情報が多くなりすぎてしまうきらいがあります。多くなっても検索して見つけ出せるのだから問題ないとはいえますが、情報を保存するときに取捨選択を行わずポイポイ放り込んでしまうことが起こりやすいという点は気をつけておいた方がよいでしょう。結果、できあがったそのノートは自分にとっての道具箱ではなくゴミ箱になってしまう可能性があります。


　大人気の名探偵シャーロック・ホームズは、自分の脳という屋根裏部屋を十分よく整理し、無用な道具でちらかさないようにと相方であるワトソンに述べていますが、情報がたくさんあり、いくらでも保存できてしまう現代では、その警句はより大切な意味を持っていると言えそうです。

『緋色の研究』(コナン・ドイル) 新潮文庫

P.23 " 人間の頭脳というものは、もともと小さな空っぽの
屋根裏部屋のようなもので、そこに自分の勝手にえら
んだ家具を入れとくべきなんだ。ところが愚かな
ものは、手あたりしだいにれへいろんながらくたまで
しまいこむものだから、役に立つ肝心な知識はみんな
はみだしてしまうか、はみださないまでもほかのものと
ごた混ぜになって、いざというときにちょっととりだし
にくくなってしまう "

**抜書きはたまると相当な財産になる**

デジタルの難点はいくらでも情報を保存できてしまうこ
と。「ノートの機能＝情報の取捨選択」を忘れずに。

# Chapter 3
# 書き方のスタイル

# アレンジのためのノートの「型」。

　ノートの基本要素は確認できました。本章では、いよいよ具体的な用途における「ノートの使い方」を見ていきます。仕事・勉強・生活・創造など、さまざまな場面で活躍するノートの使い方です。

　とはいえ、これらは鋳型でしかありません。この通りやっていれば何もかもがうまくいく、という万能の解決策ではないのです。実際の用途、置かれた環境、使える道具などによってアレンジが必要となります。

　しかし心配は不要です。Chapter.2で基本要素を確認してきたので、そうした鋳型がさまざまな部品から構成されているのが見て取れるでしょう。後は状況に応じてその部品を別のものに差し替えればいいだけです。

　そうしたアレンジを通すことで、自分の用途に適したノートの使い方ができるようになります。ノートの良さとは、まさにそうしたさまざまな使い方ができるところです。そのひとつの例として、私自身のノートの使い方やノートとの付き合い方を「コラム」として入れました。鋳型を学ぶ際の箸休めとして読んでいただければ幸いです。

# #022

# 日記

　ノートの用途において、一番はじめやすいのが日記です。なぜか。それは日記が「あったことを書く」からです。言い換えれば、日記では「書くことがない」というややこしい事態がほとんど起きません。書く時間が取れないことはあるにせよ、書くことが何ひとつ存在しないなんてことはないわけです。注目すべきことが何もなくても１日を過ごせばそこに「何か」は起きています。それを記述すれば日記はOKなのです。

## その日あったことだけ書けばいい

　幸いなことに、日記を書くために発想力や想像力が求められることはありません。推理力や問題設定力も不要です。その日に起きたことを思い出し、それを記述していけばできあがりです。逆に言えば、日付と共にその日の情報が書かれていたら、何であれそれは日記であると言えます。あまり細かいことにこだわらない方が気楽でよいでしょう。

## 書き方の2つのパターン

　日付の書き方については２つのパターンがあります。ひ

とつは、あらかじめすべての日付を書きつけておくパターンです。日記帳や手帳を使えばこのパターンになります。もうひとつは、日記を書く日だけ自分で日付を書くパターンです。普通のノートに日記を書いていくとこのパターンになります。

　どちらのパターンでも問題はありませんが、後者だと記述する量を日ごとに変えられます。ある日は1行だけ書き、別の日は十数行も書くという使い分けができるわけですね。あと、日記を書かない日がたくさんあっても「空白」が気にならない点もあります。

　総じて気楽なのが後者の書き方ですが、かっちりしたスタイルを求めるなら先に日付を埋めておくパターンを使ってみてもよいでしょう。あらかじめ枠組みが決まっている方が書きやすい場合もあるはずです。

## フォーマットの2つのパターン

　日記のフォーマットはおおまかに2種です。文章主体で書くか、箇条書き主体で書くかです。文章主体で書くといかにも日記感が出てきますが、その反面、書くときの億劫さも出てきます。その日あったことを4行くらいの箇条書きにするならば負担も小さく、読み返しも楽です。ただし情感を込めるのは難しくなり、ややデータ的な感覚が生ま

れます。

## ひとまず書きやすい方法で

　すでにこの段階で2×2のパターンが生まれていますね。

・日付を埋める形で、文章で書く
・日付を埋める形で、箇条書きで書く
・日付を随時つける形で、文章で書く
・日付を随時つける形で、箇条書きで書く

　こんな風にアレンジしていくと、いくらでもノートの可能性は広がっていきます。あまりに広がりすぎないように、テンプレートとして以下の2つに仮固定しておきましょう。

・日付を埋める形で、文章で書く

〈日記の記述①〉

2023年8月26日
　引き続きノドが痛い。微熱が続いている。
　日記を読み返すと、半年まえにも似た症状が。
　周期的なものか。あるいは仕事の忙しさが関係しているかも
　夕食は雑炊を作って食べた。

**日付を埋める形で、文章で書く**

・日付を随時つける形で、箇条書きで書く

〈日記の記述②〉

2023年8月27日　耳鼻科にいく
2023年8月29日　笛に法要
2023年9月1日　オンラインミーティング
2023年9月1日　遠出してラーメン

**日付を随時つける形で、箇条書きで書く**

　このどちらかから始めてみて、自分に合うように少しずつカスタマイズしてみてください。


## 連用日記という方法

　もうひとつ、日記におけるアレンジとして連用日記を紹介します。普通の日記とは違い、1つの日付のページに複数の年の記述をしていくスタイルです。たとえば、4月17日というページがあったとして、そこには2023年、2024年、2025年の欄があるわけです。1冊の日記帳を3年かけて、少しずつ記述を埋めていく使い方になります。


　この方式は、前章で紹介した「あらかじめ入力枠を作っておき後からの記述に備えておくパターン」だと捉えられます。連用日記専用の日記帳も販売されていますが、自分

なりにノートに線を引いて枠を作っておくこともできるで
しょう。

〈連用日記〉

4月17日
2023年
　ポッドキャスト収録にむけた準備
　Textboxに新機能を実装
2024年

2025年

見返す楽しみもできる

　作った枠の使い方は年を超えた日記を並べることに留ま
りません。仕事用の日記とプライベート用の日記を並べて
もいいですし、自分とパートナーの日記を並べることもで
きます。これも同じようにカスタマイズの仕方はいろいろ
考えられます。

## 日付さえあれば、日記になる

　何にせよ日記というスタイルは日付さえつければそれで

OKです。この記述の魅力は、分類に困らずに済む点にあります。情報を適切に分類するのはきわめて難しい作業なのですが、日記であればそんなことを考えなくても構いません。それを書こうとした日付のページに書けばいいだけだからです。タイムスタンプは非常に強力なメタ情報なのでした。

その意味で、日記はあらゆる記録の中で「総合的」な位置づけだといえるでしょう。あらゆる分類の手前にあるものが日記（日付つきの情報）なのです。それは私たち人間が「時間」の上に生きているからであり、その時点ですでに位置づけが発生しているからです。

### それでも書けないと思う人へ

原理的には日記で「書くことがない」ことは起こらないはずですが、現実的にはしばしば起きます。「わざわざ書くまでもない」と判断するからです。実際は何時に起きたとか、何を食べたとか、何を思ったとか、さまざまな出来事があるはずなのに、それらが切り捨てられてしまっているのです。

そこで日記を始める場合は、「これらに注意を向けよう」

というポイントを設定しておくとよいでしょう。天気について書く、その日見かけた動植物について書く、食事について書く、人間観察について書く。何でも構いません。自分の興味に添うものを選びましょう。

　そうして決めておいた上で、「それ以外のことを書いても構わない」と抜け道を設定しておけば万全です。何かについて思い出しながら書こうとしている間に別の何かについても記憶が刺激されて、書くことが出てくるようになるでしょう。

日記はあらゆる情報の「総合的」な位置づけ。思考を耕すノートの第一歩として、日記を書いてみること。

# 023

# 作業記録

　日記をもっと仕事寄りにすると作業記録になります。名前の通り、行った作業を記録していくノーティングです。日記は事実や出来事に加えて、そのときの感情を書き記すことがありますが、作業記録の場合は感情面の記述は薄くなり、もう少し事実ベースになりやすいのが特徴です。

## 作業記録もいろいろあってよい

　とはいえ、作業記録に感情を書いてはいけないわけではありませんし、日記を事実で埋めてはいけないわけでもありません。所詮、こうしたものは便宜的な切り分けであって、自分が使いたいようにアレンジして使えばOKです。

　実際、作業記録も人によってどんな記録をつけるのかはさまざまです。100人いれば100通りの作業記録があり、その違いによってその人がどんな関心を持ち、注意を払って仕事をしているのかがわかるくらいです。同僚や知人に作業記録をつけている人がいるならば、お願いしてそれを見せてもらうと面白いでしょう。いろいろ勉強になることがあるはずです。

　その上で、作業記録の柱になる要素を挙げるとすれば「計画」「結果」「課題」の3つになります。

**計画**

　まず「計画」ですが、これは記録ではなく予定ではないかと思われるかもしれません。作業記録は過去についての記述で、計画は未来についての記述だから、逆の性質なのではないかという疑問です。たしかにそれは正しいのですが、ポイントはどんな計画もある段階で考えた「結果」にすぎない、ということです。

　たとえば来月の計画を考えたとしても、それは「来月の予定を考える」という作業の結果であることは間違いないでしょう。そんな風に考えれば、ほとんどの情報がこの作業記録に落とし込めることがわかります。生み出される情報がどれだけ異質であっても、どこかの時点の行為の結果である点は共通しているのです。

**結果**

　もちろん、ごく普通に作業の「結果」を記録するのが一番わかりやすいでしょう。私のような執筆業であれば「書籍『○○』の原稿を2000文字書いて、編集者に送信した」といった内容になるでしょうし、打ち合わせや会議の簡単

なまとめ、何かしらをチェックしたこと、調べ物の結果やその情報源、といったことが作業記録に書けます。

日記と同じように、行動をしているならば何かしら書くことがあるはずですから、行動のその後に少しだけ振り返りながら作業記録をつけていきましょう。

**課題**

また、すべてがパーフェクトに仕上がるなら結果を書くだけで終わりにできますが、実際はうまくいかないところ、次に持ち越したいこと、調べ物が必要なことなども起こるでしょう。そうしたこともひとつの結果として作業記録に書いておきます。

むしろ、意識的にそうした課題について考えることが大切かもしれません。作業を行い、少し後にその結果を振り返りながら作業記録を書く。その際に「次は何をすればいいのだろうか」と考えてみる。その習慣があるだけで、物事の流れはずっと円滑になります。行為をただ連続する状態、つまり結果→結果→結果→結果→……という状態では、何も変化が起こせません。仕事が滑らかに問題なく続いている間はそれでも大丈夫ですが、不具合があったり困難に直面しているときは変化が必要です。そのために一度立ち

止まり、結果について考える時間を持つことが大切です。
作業記録をつけるようになると、その時間が確保できるよ
うになります。


## 書き進め方

　作業記録は作業の合間に書くことになるので、仕事中に
使えるノートであることがきわめて大切です。大きなノー
トであれば記入できる量も増えますが、机の上には広げに
くいかもしれません。パソコンの横に開いておけるノート、
あるいはノートパッド・リーガルパッドを使うのがお勧め
です。あるいは、そのままパソコンに書く手もあります。
ともかく作業中に記録を取りやすいツールを選びましょう。


　書き方は、時系列に上から下に流していくのがよいでしょ
う。タイムスタンプをつけながら記述すると臨場感があっ
てよいです。いかにも時間が流れているという感じがしま
す。細かく分や秒まで記入しなくても、時間だけのタイム
スタンプだけでも効果があります。

　そのようなタイムスタンプに続けて「原稿を書いた」な
どの作業結果を直接書いてもよいですし、中長期的な作業
をしているなら、「企画案A」のようなプロジェクト名を
書き、その後に実際の作業結果を続けて書いてもよいです。

プロジェクト名を記述しておくと、後からノートを振り返るときにその項目だけを拾い上げて追いかけやすくなります。パソコンで同じことをすると「検索」ができるようになるのでさらに便利です。

　もし特定のプロジェクトの記録が大量に生まれる場合は、別途そのプロジェクト用のノートを作ってみてもいいかもしれません。分冊方式です。

　まとめると、まず仕事中に使いやすいツールやサイズであること。そして後から項目を振り返りやすい形で記述しておくこと。これが作業記録のコツになります。

作業の基本は「計画・結果・課題」。リアルタイムの情報が肝で、書くのがおっくうにならない工夫をする。

# #024

# メモ／アイデアメモ

　ノートの日常的な利用方法として、もっとも身近なものがこのメモでしょう。ちょっとした書きつけ、あるいは覚え書きです。あまりにも身近すぎて説明など不要に思えますが、なぜそんなに身近なのかを考えてみると面白いことがわかります。

## メモは人と見せあっている

　たとえば、日記や作業記録をつけている人はそれなりの数いらっしゃるでしょう。しかし、そうしたものはあまり身近には感じられません。なぜなら日記や作業記録は人に見せるものではないからです。

　一方でメモは、伝言メモなどのように他の人に見せる用途がありえます。人は見て学ぶことが多く（「学ぶ」は「真似る」と同じ語源だそうです）、目にしたメモから「メモとはこういうものか」という理解が進み、自分でもそれが書けるようになる。たしかにこれは身近に感じやすいでしょう。

　とはいえ、メモには他人向けのものもあれば、自分向けのものもあります。私たちが普段目にしているのは他人用

に書かれたメモだけで、自分用に書かれたメモの姿はヴェールに包まれています。私たちがよく知っているメモはあくまで全体の半分でしかなく、もう半分は未知の状態に近いのです。ここではその未知に迫ってみましょう。

## メモは情報の書き留め

まず、メモの目的は一時的な情報の書き留めです。ある情報を記録しておき、それを少し後に利用できるようにすること。それがメモの主要な目的です。

伝言メモのようなものは、それを利用する人が自分以外の人になりますし、アイデアメモのようなものは「未来の自分」になります。

この違いはメモの書き方に微妙な違いをもたらします。たとえば「勅使河原さんから電話があった」というメモならおおむね要件は伝わるでしょう。なにせ珍しい名字なので、特定は簡単です。しかし「山田さんから電話があった」ならばどうでしょうか。自分ならばどの"山田さん"なのか区別がつきますが、他の人ならばわからないかもしれません。そこでより情報を詳しくした「A社の山田さんから」というメモの書き方が必要になります。

ようするに、そのメモを読む人が理解できる形で書くこ

とがメモのポイントです。

## 上手なメモ

　であれば、すべての情報を詰め込めばよさそうな気がします。しかし、メモを取る場面というのはたいてい「急ぎ」です。ゆっくり落ち着いて書くのではなく、今その瞬間に書き留めておかないと失われてしまいかねないタイミングで書くことが多いのです。

　よってメモを書く際には要点の選別が欠かせません。そこにある情報のうちでもっとも大切なのはどの部分なのかを判断し、どう書き表せば他の人や「未来の自分」がその情報を利用できるようになるのか。それを考える必要があるわけです。

**〈未来の自分にあてたメモ〉**

Aさんにメールを返すこと

**あまりうまくいかない未来の自分へのメモ**

今週中にAさんに案件Xのメールを返すこと
要件のもれがないかを確認

**未来の自分へのメモ**

こう考えてみると、メモすることにはそれなりのスキル
が必要だとわかるでしょう。だからメモを取るのがうまい
人は、会議や講演の内容をまとめたり、本の要約をしたり
するのがうまいことが多いのです。日頃から要点の選別の
訓練を行っているからこそです。

## アイデアメモはどう書けばいいのか

　同じことはアイデアメモにもいえます。何かしら思いつ
いたときにそれを書き留めるのがアイデアメモですが、思
いついたことすべてを書き留めようとすると頓挫します。
書く量が多いだけでなく、複雑な思いつきは単純な記述で
対応できないからです。だから、すべてを記述するのでは
なく、そのメモを見返したときに自分が思いついた内容を
適切に想起できる記述にするのがポイントになります。そ
の記述は短すぎても長すぎてもアイデアメモの用をなしま
せん。ちょうどよいという意味の「適当な」長さで要点を
書き留める必要があります。

## メモのためのノート

　以上のことから、メモとして使うノートの選び方が見え
てきます。まず、思いついたことを瞬時に書き留める必要
があるので、すぐに取り出せてすぐに書き始められるもの

がよいでしょう。となると、サイズは大型ではなく小型の
ものが適切です。

　また、他の人に渡すこともあることから、切りとれるタ
イプのノートやメモ帳が活躍することも予想できます。ち
なみに、自分用であっても切りとれるタイプのメモは有用
で、いったんメモ帳に書いておき、それを切り離して専用
のノートに貼っておくという運用ができることは
Chapter.2でも紹介しました。メモは後で「別の場所」で
利用されることが多いので、移動できるようになっている
と便利なのです。

　さらに切りとれるタイプのメモは常に白紙のページがトッ
プに来てくれます。書き込むためのページを探さなくても
良い、というのも急ぎで取るメモにおいては重要です。切
りとりのない綴じ型のノートであれば、しおり紐をつける
などして即座に書き込みページにアクセスできるようにし
ておくとよいでしょう。

## メモの書き方

　記述のスタイルについては、先ほども述べたように要点
を押さえて書くことがポイントで、合わせて日付情報など
のタイムスタンプを入れておくと後から見返したときに内

容を思い出しやすくなります。

　また「急ぎ」で書くことが大半なので小さな字で詰めて書くのではなく、大きな字で目立つように書くとよいでしょう。太めのペンを使うのもよいかと思います。

　もうひとつつけ加えておくと、メモに関してはジャンル分けなどをいっさい行わないのがよいでしょう。テーマやジャンルごとにメモ帳を換えるというのは得策ではありません。なぜなら書き留めようとしているその瞬間は、そのテーマが何なのかを考えている余裕がないからです。むしろその瞬間の頭は、全力でそのメモの要点探しをしています。だから余計なパワーを使わなくて済むようにしておくのが賢明です。

　よってメモについてはまずジャンルフリーで書き留めておき、その後で適切な場所に「配置替え」する。そういう運用がよいでしょう。

> メモを書くとき、他の人や未来の自分がその情報を利用できるようになるのか、ということを忘れないように。

Column
2

# ミニノートと共に生きる

〈著者のミニノートたち〉

## 「ポケットには、ミニノートを」

私の標語です。もう20年以上もこれをモットーに過ごし
てきました。

スマートフォンの日常化で出番はすっかり少なくなりま
したが、それでも何かしらのノートをポケットに忍ばせて
います。コクヨのキャンパスノート、野帳、ミニサイズの

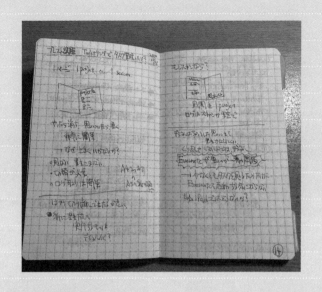

システム手帳……どれだけスマートフォンが便利になっても、紙にインクをにじませながら文字を書くのはやはり心地が良いものです。人生に「心地が良い時間」を増やすのは、決して悪いことではないでしょう。

## 「!」や「?」をのがさない

　別にたいしたことを書いているわけではありません。というか、「たいしたこと」ではないから、このミニノートに書くのです。内容を選別せず、頭にひっかかった「!」や「?」があるならば、それを書き留める。そんな小さな営みです。

　もちろん、書き留めただけで事態が好転することはありませんし、それだけで願いが叶うこともありません。単なる備忘録です。あるいは着想の足跡。

　ここに書き留めたものを、別の場所に転記することもあります。たとえばカレンダーに予定として書き込んだり、タスクリストに「やること」として書き込んだり。あるいは、そのとき進めている原稿にちょっと加えてみたり、少し形を変えてSNSに投稿してみたり。

　いってしまえば、ただそれだけの装置です。記法も特別

なものは何も使っていません。少し前は、「右ページだけを使う」というルールを作っていましたが、今はそれもなくなりました。残っているのは唯一「日付を書き込む」というフォーマットだけです。それ以外は自由に書き進めています。そういった「自由さ」が担保された場所が人間の思索には必要ではないか、などと大げさなことを考えたりもします。もちろん、そういうことを思いついたら、それもまたこのミニノートに書くわけです。「人間の思索には、メモ帳が必要である」と。

## 過去のミニノートたち

　こうしたミニノートは、一種のメモなので"賞味期限"はさほど長くありません。手早く処理しておかないと、自分が何をいおうとしていたのかがきれいさっぱり失われてしまいます。そうなったらもはや備忘録ですらありません。単なる走り書きです。

　だからずっと昔のメモ帳なんて何の役にも立たない――「実用性」の面でいえばたしかにそうかもしれません。しかし、私はそうした古いメモ帳たちも捨てずに残しています。ごくたまに読み返すことはあっても、それで何か特別なイベントが起こるわけではありません。天啓が稲妻のように

訪れたり、世紀を変えるアイデアがわき起こったりはしないのです。ただ、懐かしく読み返すだけです。

　でも、ずっと昔の思想家たちの断片的なメモ書きに価値が宿るように、自分の過去のメモだって価値が宿ります。たしかにそれは備忘録としての役割はもう果たせないでしょう。それを書いていたときの自分が何をいわんとしていたのかを自分でも思い出せなくなっています。一方で、だからこそそれを「面白い」と感じることができます。そもそも過去の思想家たちのメモ書きだって、何かを思い出すために読まれるのではなく、「このときこの人は何を考えていたのだろう」と考えるために読まれるでしょう。それと同じ読み方が自分のメモにだって可能なのです。書いたときの自分と違った解釈だって構わないではないですか。今の自分が何かを考えるきっかけになればメモとしても本望でしょう。

## メモの価値

　ここには2つの価値が交錯しています。ひとつは、短期的で自由なメモとしての価値。もうひとつは、あたかも自分でない人が書いた断片であるかのような刺激剤としての価値です。

そう考えてみると情報とは面白いものです。書かれたも
のは何ひとつ変化していません。インクが薄れ、紙が日焼
けしていたとしても、情報そのものは同一でしょう。しかし、
時間が経つとその性質が変化します。それは情報を受けと
る私たち自身が変化しているからこそ起こる変化なのでしょ
う。

　もし真っ暗で周りに何もない宇宙空間を漂っているなら
ば、私たちは自分の位置を定められません。どこにいるの
かは、他の何かを比較して考えられることです。だとすれば、
私たちが時間と共に変化する存在であるからこそ、時間が
経っても変化しない情報が1つの参照点として機能してく
れるのかもしれません。変化していることを感じとるため
には、変化しないものが必要なのです。

**「自分が必要になるもの」をめぐる思索**
　とはいえ、ここでそんなに大げさな話は必要ありません。
私たちはだいたい忘れっぽく、備忘録がないと日常的に困
ることが多い、という点だけ覚えていればメモ帳やミニノー
トは強力なパートナーになってくれます。

　それがどのようなものであっても、必要になりそうだな

と感じたものはメモしていけばいいのです。同時に「自分が必要になるものって何だろう」ということに敏感になればいいのです。

　それが足跡として残っていきます。そうした足跡が、他の誰かの役に立つことがあるかもしれないし、ならないかもしれません。情報とは常にそのような不安定さを持っています。だからこそ、何かを書き留めることは面白いのです。

# 025

# 勉強・仕事ノート

　ノートの用途において一番なじみ深いのが勉強や仕事での利用でしょう。特に勉強で使うノートは幼少時代から慣れ親しんでいる人が多いかと思います。

　黒板を写す板書ノートや、問題を解くための練習ノートは、リカレント教育やリスキリングの重要性が説かれる現代においては子どもだけでなく大人においても使う場面が出てくるはずです。

## 情報の書き留め

　そうしたノートの基本的な役割は2つです。

　ひとつは情報を書き留めておくこと。これは暗記をする際などに有用です。情報を書き留め、何度も参照することで頭にたたき込む使い方です。試験対策としては必須の役割でしょう。

　また、問題を解くときにその途中経過を書き留めておくことも有用です。数式の展開だとその効果はより強く実感されるでしょうが、論理的な展開についても、その検討過程を残しておくと、どこで不整合が生じたのかが後から確認できるようになります。

**情報の整理**

　ノートのもうひとつの基本的な役割が、情報を整理することです。日本語の「整理」にはさまざまな意味があるのですが、そのすべてにおいてノートは活躍してくれます。たとえば以下のような処理です。

・整列させる
・順位づけする
・強弱をつける
・関係性を明らかにする

　単に情報を保存する目的であれば、のっぺりと記録するだけでも大丈夫です。しかし、勉強や仕事において対象を「理解」しようとするならばそれだけでは足りません。情報を上記のように整理しておく必要があります。むしろそうした整理ができている状態が「理解」していると言えるでしょう。

　もちろん、そうした整理はあくまで脳内の出来事です。自分の頭の中において、情報同士の関係や性質をはっきりさせること。それが目標なのですが、頭だけでそれを達成

するのは難しいので、文字を書くことを通してサポートするのがノートの大きな役割です。

**整頓と整理**

　とはいえ、ノートをきれいに書けばそれで内容が整理されるわけではありません。勉強ができる人のノートはきれいだ、という話もありますが、それは頭の中が整理できているからきれいに書けるのであって、その逆ではありません。むしろ、頭の中の整理を意識しながらノートを書くことで、紙面もきれいに整っていくというのが本当のところでしょう。

　この点に関しては、文化人類学者の梅棹忠夫さんが面白いことを述べられています。整理と整頓は違うというのです。整理とは言葉通り「理」（ことわり）によって物事を整えることなのに対して、整頓とは単に見た目だけの整えでしかないという主張です。

　たとえば、形が「本」であればその中身はいっさい気にせずに同じ棚に入れてしまうのが整頓で、内容ごとや用途ごとに分けるのが整理となります。

　その考え方を拝借すれば、単にきれいに書いてあるだけ

のノートは、整頓はできていても整理はできていないと言えるでしょう。整理するためには内容に注目する必要があります。内容に合わせて表現を整えること。それがノートにおける情報整理です。

　この点を意識すれば、使い慣れたノートの使い方にも違った視点を入れていけるはずです。いくつかの実際例を挙げながら、それを確認していきましょう。

理解する＝見知った情報同士が適切に関係づけられていること。ノートはそれを補助してくれるツール。

# 026

# 講義ノート

　一口に講義といってもさまざまなスタイルがありますが、教師や講師となる人が前に立ち、黒板やホワイトボード、あるいはスライドなどを使いつつ内容を展開していくものをここでは総合的に講義と呼んでおきます。

　講義によっては受講者にいっさいのメモやノートを禁じているものもありますし、逆に重要な情報があらかじめ書き込まれたプリントが配られるものもあります。その2つを極として、だいたいの講義はその間に位置することになるでしょう。

## 板書の内容は全部書かない

　そうした講義においては、講師が話したこと、あるいは黒板などに書いたことを、自分のノートに書き留めるのが基本のノートになります。ここであまり大声ではいえないことを書きますが、黒板に書かれたものを一字一句間違いなく書き写すことはそれほど重要ではありません。そうして書き写すのに夢中で話の要点がまるで捉まえられていないとしたら、「理解」の観点からは問題が多いでしょう。

　だからといってテキトーに書けばいい、というものでも
ありません。ようは「何が重要なのか」を意識しながら聴
き、それを書き留めるのが大切なのです。重要だと思った
部分は、ペンの色を変えたり丸で囲んだりするなどのスタ
イルを使ってノート上でも強調しておきましょう。

　そうして情報に強弱をつけることで、見返したときにも
のっぺりとした感触ではなく、「ああ、これが重要だった
んだ」という感触が立ち上がるようになります。

〈講義を聴きながら取る記述〉

縦型ファイルキャビネットは 20世紀初頭に導入
・立てて並べることで素早いサーチが可能に
・フォルダ 仕切り紙で 階層的な分類
　ただし 書類などの規格化が必要

**話を聴いたときの「感触」を思い出せるように**

　もし、完全に書き込まれたプリントが配られる場合であっ
ても、気分はメモ・ノートモードで臨むのがよいでしょう。
重要な部分はどこかを探り、その箇所をマーキングする気
持ちで受講するのです。

もしメモやノートが禁じられている場合は、講義終了後に前頁の図のようなノートを書くことになります。記憶を辿りながらになるので、かなりあやふやな部分も出てくるでしょうが、何もやらないよりはマシでしょう。逆に言えば、講義中に「何をノートに書き残すべきか」という注意を働かせるようになるので、より集中して話を聴けるかもしれません（それがメモやノートを禁じている理由でもあるのでしょう）。

**講義後に補足していく**

　何にせよ、授業内容の完璧な記録を作ろうとするのではなく、話された内容を理解するためのノートを書くという意識が大切です。

　その点を補強するなら、講義ノートは講義中に書いて終わりではなく、講義が終わった後に再び開くことが大切です。中身を読み返し、何が話されていたのかを思い出すこと。それが記憶を強化します。関連して思いついたことや、疑問に思ったことを書き足したり、自分なりの言葉で内容を要約することも理解を進める上では大切です。

　そうした使い方においてはコーネルメソッド（52頁）の

ようなあらかじめ追記できるスペースを設けているノートスタイルは便利です。物差しを使って自分で線を引いてみてもよいでしょうし、線を引かなくても記述と記述をできるだけ詰めずに余裕を持って書き込むようにするだけでも、かなり違ってきます。

〈講義後の補足〉

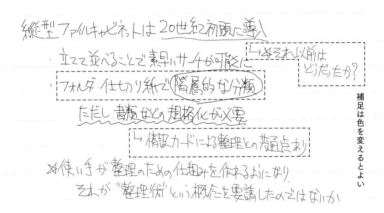

補足は色を変えるとよい

**講義の後の追記が大事**

板書の情報よりも大切なのは、講義を聴いているときの自分の変化。その感触が再現できる記録をとること。

# 027

# タスクリスト

　仕事や勉強などは、たくさんの「やること」を進めていく必要がありますが、そうしたときに「やること」を整理するのは役立ちます。そこでもう一度確認しておきましょう。情報の整理とは以下のような操作を意味します。

・整列させる
・順位づけする
・強弱をつける
・関係性を明らかにする

　「やること」の整理において、こうした操作を行う目的は「次に何をするのかを明らかにすること」にあります。漠然とした状態からはっきりした状態へと持っていくこと。内容をクリアにすること。この点を意識すると、ノートをどう書けばいいのかも見えてきます。

### ステップ1　「やること」のリスト化

　まず、どんな課題があるのかを列挙する必要があるでしょう。そうしたときには箇条書きが役立ちます。冒頭に「・」

をつけるリスト記法です。その記法を使って、まずは思いついた順に「やること」を書き出していきます。これがファーストステップ。

〈「やること」のリスト化〉

・部屋の片付け          ・原稿執筆
・レシート入力          ・部屋の片付け
・原稿執筆             ・本棚の整理
・オフロ掃事           ・レシート入力
・読書                ・夕食の準備
・夕食の準備           ・オフロ掃事
・本棚の整理           ・読書

リスト化し（左）、順位づけをする（右）

## ステップ2　「やること」の関連付け

次に、それらの「やること」を並び替えます。関連性が高いもの、あるいは同時に処理した方がよさそうなものを近くに並べるのです。これをグルーピングと呼びます。手書きなら、少し手間ですが新しいリストを作成するとよいでしょう。ちなみに、付箋などの道具を使えば、この並び替えはぐっと楽になります。

### ステップ3 「やること」の順位付け

　以上の2ステップを踏むと、作成した箇条書きは「タスクリスト」として使える準備が整います。もう少しだけ手間をかけられるなら「重要なものを上に移動する」という操作も行っておくとよいでしょう。上の方に重要なものを、下の方にそうでないものを置いておきます。これが最後のステップです。

　それが終わったら、「次に何をするのか」は明白でしょう。リストの1番上にある項目です。その項目が終了したら、その次に何をするのかも再び明白になります。リストの2番目にある項目です。

　ごく当たり前の話をしているようですが、頭がモヤモヤした状態で「次に何をするのか」を考えるのはかなりのハードワークです。上記のように情報の整理をしておくことで、その負荷をずいぶん減らすことができます。これは思考力の先払いといえるでしょう。後で細かく思考力を働かせるのではなく、現金一括払いのように先に頭を働かせておくことで、後々の負担を小さくするわけです。実際、リストの上から順番に実行していけばいいという状態は、「思考を停止」できるのでラクチンなのです。

## 「次に何をするのか」がクリアにする

　もちろんリスト通り完璧に実行できるとは限りません。どうしてもやる気が起きなかったり、横やりが入ったりもするでしょう。そうしたときはリストを書き換えることで状況に対応すればいいのです。大切なのはリスト通りに行動することではなく、常に「次に何をするのか」をクリアにしておくことです。それができていれば、どのような書き方をしても構いません。

　このタスクリストは、綴じノートに書いても構いませんし、レポートパッドやリーガルパッドのように切り離せるノートに1日1枚という感じで書いても構いません。また情報カードやメモ用紙などの小さいサイズの紙に「やること」を一つひとつ書いていき、それを一番上から処理していく、というやり方もとれます。

　自分の好みの形にアレンジして、実行を支援していきましょう。

　つけ加えておくと、そうしてクリアにした「やること」を、直後に実行するのか、それとも少し後で実行するかによって表現方法が変わってきます。たとえば、直後に実行するなら「企画Aを進める」くらいの表現でも十分明瞭（ク

リア）と言えます。それを読めば、何をすればいいのかが明らかになるからです。

　一方で、少し後で実行する場合は「企画Aを進める」という記述を見ても、具体的に何をしようとしていたのかがわからないかもしれません。つまり、クリアではないわけです。そうしたときは、「企画Aのファイル○○の途中から追記を進める」のように少し詳しく表現しておくと有効です。時間が経てば経つほど、「自分以外の人に依頼するかのように書く」のがひとつのコツとなります。

タスク管理の鉄則は「次に何をするのかをクリアにしておくこと」。これを意識しておければ迷うことを防げる。

#028

# 会議・打合せノート

　仕事においては、打合せや会議といった場への参加が起こります。学生の場合でも集まりはあるでしょうし、主夫や主婦であっても会合などの機会はあるでしょう。

　そうした場では、講義とは違ってこちらからの発言が求められます。一方的に話を聴いて終わり、という受動的な姿勢ではうまくいかず、能動的な参加ができてはじめてうまくいきます。

## 話題の中心は何か、それに対して何かいえるか

　当然、よほど知的能力が高い人でない限り、場当たり的に何かを言うだけで的確な発言になることはないでしょう。事前の準備が肝心、ということです。

　別に難しい話は必要ありません。会議や打合せの流れを完璧にイメージして、その場をコントロールしようなどとは思わず、その場において何が中心的な話題となり、それに対して自分は何を言えるだろうかと考えるだけで十分です。情報と思考の整理を行うわけです。

## ステップ1　話題の予想と、その周辺情報の収集

　　実際は3つのステップに分けるとよいでしょう。まず事前のステップでは、話題に上がりそうなこと（あるいは自分から話題に上げたいこと）を列挙します。箇条書きで書き並べていくのがやりやすいでしょう。もし、さらに掘り下げたいことがあるならば、「インデント」を使うことで記述を展開していけます。

**〈インデントを使って頭を整理〉**

- デジタル世代に向けたノウハウ
  - パソコンスマートフォンがあたり前
    - いかにハックするかの視点
  - 同時にアナログツールも使う
    - 主従が逆転している新しい感覚
- さまざまなツールの選択肢を整理する
- 新時代の頭の鍛え方

**主張と根拠をセットで書く**

　　自分が主張したい内容があるならば、その主張を補佐する資料やデータを集めておいたり、自分の考えをわかりやすく伝えるための図を書いておくのも手です。これが1つめのステップ。

## ステップ2　会議・打合せ中は、簡単にメモ

　次のステップは本番で、そこでは交わされたやりとりをノートに書き留めます。すでに事前に話題を列挙してあるので、そこに補足する形で書き足していけばいいでしょう。まかり間違っても、会話のすべてを書き留めようとはしないでください。それをすると会話の中身が頭に入ってこなくなります。要点のみに絞って書き留め、心はその場に参加するようにしてください。素早く書き留めるために、略語や記号を自分なりに工夫して使うのもよいでしょう。

〈打合せ中のメモ〉

- デジタル世代に向けた ノウハウ
  - パソコンスマートフォンが あたり前
  - いかに ハック するかの視点
  - 同時にアナログツールモ使う
  - 主従が逆転している新しい感覚
- さまざまなツールの選択肢を整理する
- 新時代の頭の鍛え方

反応のメモは色を変える

T→L "難し過ぎないか?"
└→ 市場がせまい
"それをどう伝えるのか?"

D→L "おもしろい"

T "具体性が感じられない"

会議での反応をサッと書く

135

## ステップ3　振り返りで加筆する

　本番が終わったら最後のステップです。交わされた内容を振り返りながら、補足情報を書き足していきます。自分が言い足りなかったことや、後で考えたら疑問が湧いてきたことなど、時間が経つことで見えてくることがあります。それらをノートに書いて整理しておきましょう。

〈打合せ後の加筆〉

- デジタル世代に向けた ノウハウ
  - パソコンスマートフォンが あたり前
    - いかにハックするかの視点　← Tさん "難しすぎないか?"
      - └ 納得がせまい
  - 同時にアナログツールも使う　← "それをどう伝えるのか?"
    - 主従が逆転している新しい感覚
- さまざまなツールの選択肢を整理する ← Dさん "おもしろそう"
- 新時代の頭の鍛え方　← T "具体性が感じられない"

**忘れないうちにまとめる**

> ★ マーケットリサーチの情報を添えればよかった
> └ Tさんは全体的に否定的だった
> └ だからこそチャンス?

**後で加筆したところは、色を変える**

136

　また、「次はどうするのか?」を考えるのもこのステップが適しています。次の会議があるのか、あるとしらそこまでに自分がしておかなければならないことは何なのか。それを明確にして、必要に応じてタスクリストに追記しておきましょう。

会議の準備は「題目の周辺情報を集める、それに対する意見を固める」。会議後は「次はどうするのか」で整理。

# #029
# プロジェクトノート

タスクリストと会議ノートを複合的にすると、プロジェクトノートになります。特定の企画案や大きな仕事について1冊のノートを割り当てるやり方で、その場限りではなく中長期的な仕事を進める人に役立つ手法です。

**情報が散逸しないために**

大きな仕事を進める場合は、時間的に長い活動になり、集まる情報が増え、関係する人も増え、やることも盛りだくさん、という状況になりがちです。頭だけで管理するのは、ほとんど無理ゲーでしょう。そこで、その仕事に関する情報を1箇所にまとめておく手法が有効です。

職種や環境によって仕事の進め方は千差万別なので、このように書けばうまくいくと"正解"を提示することはできませんが、大きな方針とコツくらいならば提示できます。

まず大きな方針は、会議・打ち合せノート（133頁〜）でも使った3ステップを用いることです。プロジェクトの着手前、実行中、終了後の3つのタイミングを意識してノートを書いていきます。プロジェクトは中長期的な仕事になるので、実行中のノートが一番多くなってくるでしょう。

## コツは「次に1つ実行するならどれか?」

そうした実行中においては、「次はどうするのか?」を定期的に意識するのがちょっとしたコツです。**プロジェクトでは「やること」が山ほど出てくるので、それを整理するだけでなく、「次に何か1つだけ実行するとしたらどれか?」を考えるようにしておくのです。**それにうまく答えられないなら行動は起こせません。中長期的な仕事ほど、この「次の行動が不明瞭」状態に陥りやすいので、プロジェクトノートでその状態を打開するわけです。

もし、「次に何か1つだけ実行するとしたらどれか?」という問いにうまく答えられないならば、次にすることは「次にすることについて考えること」です。もしかしたら、それまでの進行状況を振り返るタイミングなのかもしれません。あるいは、上長や仲間に相談するタイミングなのかもしれません。気分転換や休むタイミングということもあります。なんであれ、行動が不明瞭ならば「考える」ことが必要です。

## 「次にすることスペース」

考えた結果、次に実行することが明確になったら、それを見えやすい場所に書いておきましょう。ノートのページ

上部をあらかじめ空けておき、「次にすることスペース」として使うやり方もあります。付箋にやることを書いて、ノートの表紙に貼りつけるやり方もあります。どういうやり方であれ、自分がその「やること」を見失わないようにしておく工夫が役立ちます。

〈次にすることスペース〉

project-XYZ

次にやること

- リサーチの資料をまとめる
- 打ちあわせノートの整理
- YさんにTさん対策の相談

ノートの表紙や1ページめに「やること」を書く場所を設けておく

ここでも「次にひとつ実行するならどれか」が大事。
ノートに「次にすることスペース」をとっておく。

# #030
# 発想・アイデアノート

　創造的な仕事、いわゆるクリエイターにおいては発想やアイデアは不可欠なものだと思われています。たしかにその通りでしょうが、だからといってそれ以外の人に発想やアイデアが不要というわけではありません。目の前にあるちょっと困ったことを、少しばかりの工夫で乗り越えようとするとき、そこにはたしかにアイデアの萌芽があります。問題解決は、常にクリエイティブなのです。

## 発想しない訓練を積んでいる?

　しかし困ったことがあります。私たちは発想する訓練を積んでいません。もっといえば、発想しない訓練を日々積んでいます。「余計なことを考えるな」「間違ったことをしてはいけない」「この通りにやりなさい」。よく聞くセリフではないでしょうか。ここで禁止されている行為は、すべてアイデアの素になる活動です。それが禁じられているのですから、私たちは発想を抑制する訓練を積んでいるのに等しいのです。

　逆に言えば、私たちはわりと自然に発想してしまうので

す。その発想が「余計なこと」だから上記のようなセリフ
が飛び交うわけです。よって特別な才能や技法は必要あり
ません。本来的に持っている発想の力が発揮されるように
訓練し、方向づければOKです。

**小さな情報処理から大きなアイデアは生まれない?**

　もうひとつ考えておきたいのは、人間の記憶力がさほど
強くないことです。長期的に詳細な情報を蓄えるのも苦手
ですし、同時にたくさんの情報を処理することも得意では
ありません。発想やアイデアを考える際には、情報の処理
がどうしても避けられませんが、小さな情報処理では、小
さなアイデアしか出てこないのです。

　というわけでノートの出番です。目指すところは2つあ
ります。1つは「発想の訓練を行う場」として使うこと、
もう1つは「情報を処理する補佐」として使うことです。

　次の頁からこの2つを意識してノートの使い方を見てい
きましょう。

　私たちは自然と何も考えないモードになっている。
　発想をするモードにするスイッチがノート。

# #031

# 着想ノート

　着想ノートの使い方はごくシンプルです。何か思いついたことがあったら、それをノートに書き留める。それだけです。そのままではそっけないので、思いついた日時（タイムスタンプ）を書き留めるか、順番に番号（ナンバリング）を振っていくかをしてみてもよいでしょう。

〈着想ノート〉

10/2・人はなぜ苦心を抱えてまで文章を書こうとするのか？
　・情報は差異によって知覚される
　・セルフケアとしてのノウハウ
　・局所最適はなぜ起こるのか？

10/3
　・不安定を引きうけると安定する
　・人が変化するなら、システムも変化する
　　　　　　└やわらかいシステム論

**思いつきは訓練しないと出てこない**

　書き留める際は、時系列に上から下に書き留めていくのがやりやすいです。アナログではなくデジタルで書き留め

る場合は、新しいものを上に書き留めることもできます。その場合X（旧Twitter）などのSNSツールを使っている感覚に近くなるでしょう。どちらが自分の好みに合うのかは実際に試して確認してみてください。

**発想の訓練**

　こうした着想ノートを書く意義は2つあります。

　ひとつは自分が発想の訓練をしているのだと思い出せるようにすることです。訓練は一定の期間続ける必要がありますが、だいたい忘れます。特に日常生活において必要性が低い行為はすぐに記憶の底に埋没します。しかし、着想を書き留めるノートが目に見える場所にあれば、自分がその訓練をしようとしていたことが思い出せます。さらにそのノートを開いたときに過去の着想が書き留められていたり、ナンバリングがされていたりすると、「書き続けよう」という気持ちも復活しやすくなります。行為の継続にもノートは貢献してくれるのです。

**「思いつき」に注意を向ける**

　もうひとつの意義は、思いついたことを書き留めようとするとき自然に対象に注意が向く点です。

　私たちは日常的に多くのものを目にし、耳に入れていま

すが、その大半には注意を払っていません。ついさっき見たものですら十分に思い出せないのが常態です。しかし、スケッチをしてみると状況は一変します。書き留めようとするためには対象を十分よく観察しなければならないからです。

その意味で、着想を書き留めることはアイデアのスケッチだといえるでしょう。

多くの人は日常的に思いつきを経験していますが、それに注意を払っていません。漠然とした思いつきのまま終わらせてしまっているのです。しかし、思いつきを書き留めようとすると状況は一変します。そのときはじめて、「自分が何を考えているのか」に注意を向けるようになるのです。よりはっきりと「自分が何を考えているのか」を把握できるのです。それは少し上からの視点（メタな視点）を確立するにも役立ってくれます。

発想という行為は、漠然と思いつくだけでは十分ではありません。自分が何を思いついたのかを意識できてこそ、次のステップに進めます。その意味で、着想ノートは自分の頭の中に注意を向ける訓練だと言えるでしょう。

> 誰もが何かを思いついているが、何もしないと消えていくだけ。ノートを書くことは「思い」を書き留めること。

# 032

# 着想ノートの発展

着想ノートによって、瞬間的な思いつきを書き留めることができるようになります。これはアイデアを探す目を鍛えるという意味ではたいへん意義あるものですが、それだけでは十分ではないでしょう。よほどの天才でない限り、思いついたことを展開し、発展させていく必要があります。

**書くことで、思考が展開していく**

そうした作業もまた脳内だけで行うのは難しいものです。ドラマ「ガリレオ」の中で、物理学科の准教授である湯川学が突然閃いてところ構わず数式を展開していくシーンが描かれますが、まさにあの感じです。書くことで思考が展開し、検証されていく。そういうことが起こります。湯川にとっては地面も車の窓もすべてノートというわけです。

では、どのように書けば考えを発展させていけるでしょうか。大きく3つアプローチがあります。論理展開、放射展開、格子展開の3つです。

## 論理展開

　論理展開は数式の展開と似ています。最初に考えたいことを書き、そこから矢印を伸ばして関連することを書きます。具体的には何かしらの疑問に答える文を書きます。「それはなぜか?」「なぜそうなっているのか?」「もしそうだったら次はどうなるか?」など、疑問の形はたくさんあるので、求めている答えに沿うものを選ぶとよいでしょう。

　そうして答えを書いたら、同じようにそこから矢印を伸ばし、関連することを書きます。後はその繰り返しで、どんどん考えを発展させていきます。

〈論理展開〉

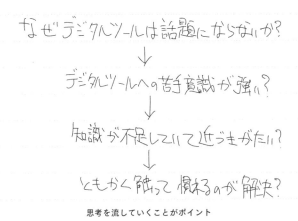

**思考を流していくことがポイント**

## 放射展開

　放射展開は、前頁の論理展開を多面的に行うものです。
一番最初に考えたいことを紙の中心に書き込み、そこから
周囲に向かって好きなだけ矢印を伸ばし、そこに関連する
ことを書きます。その際の「関連」は疑問文に答える形に
なっていなくても構いません。それこそ関連して思いつい
たこと、つまり連想したことであれば十分です。

〈放射展開〉

**あまり要素の間隔を詰めないでおくのがちょっとしたコツ**

　考えたい要素は十分な余白を持って書き並べていきま
しょう。そうすることで、要素と要素の間に後から別の要

素を追記できるようになります。論理構造を追いかけているわけではないので、ゆったりした心持ちで思いつくことを展開していくのがポイントです。

## 格子展開

格子展開は、放射展開と似ていますが白紙の空間に広げるのではなく、あえて表組みのような枠組みを作り、そこに書き込んでいくのがポイントです。よく使われるのは3×3の表組みで、これはマンダラート（マンダラチャート）と呼ばれています。

〈格子展開〉

まず中心にテーマを書き

そこから少しずつ周辺のマスを埋める

なんとなく配置を意識しながら

すべてのマスを埋めていく

149

その表組みの中心に考えたいことを書き込み、後はその周囲に関連する要素を配置していきます。ここでも厳密に論理構造を考える必要はありません。ある程度緩やかな連想で書き並べれば十分です。そうして緩く並べたとしても、あらかじめ引かれた線によって作られた枠組みが一定の制約を与えてくれます。

**自分に合った思考展開を見つけよう**

　これら3つのやり方はアプローチの違いであって、単純に優劣をつけられるものではありません。人によって合う・合わないもありますし、考えたい対象によっても効能は違ってきます。実際に試してみるのが一番でしょう。また、上記は基本的なやり方なので具体的な運用ではさまざまにカスタマイズできますし、ぜんぜん違う方法もあるでしょう。自分の考え方にフィットしたアプローチをぜひ見つけてください。

　書くことで思考は展開する。思考が止まったらひとまず「→」を書くことで展開するアイデアもあるかもしれない。

# #033

# 思考の整理とノート

　何かを思いつき、それを展開させたら、最後はそれをまとめる必要があります。発散の後には収束作業が待っているわけです。ここでもまたノートが役立ちます。

　たとえば、自分の考えをまとめて文章を書く必要があるとします。そうした際にまず思考を展開していくことは有用ですが、それだけでは素材がたくさんあって何をどうまとめていいのかがわかりません。そこでノートでそれを整理するのですが、問題は「ただ書けばいい」のではない点です。着想も展開も、とにかく書くことが大切だったのですが、こちらはそうはいきません。「何を書くのか、何を書かないのか」「どう並べるのか」が重要になります。

　そこで必要となるのがデザインの視点です。イラストを描くことではなく、要素の配置によって全体を設計するという意味です。ノートで文章のデザインを行うわけです。

　ノートでデザインを行う場合は、いろいろな要素の並べ方を検討する必要があり、そこでは配置したものを別の形に再配置することが求められます。ここで活躍するのが付箋、ないしはカードです。それらに要素を記入し、配置し

たり並び替えたりして完成形を検討するのです。

〈付箋やカードを使った並び替え〉

カードの整理を通して思考が整理される

　一見するとこれはただ文章の整理をしているだけのように思えるかもしれません。しかし、その背後で思考の整理が行われています。「自分が言いたいことは何なのか」「自分の考えのコアはどこにあるか」が検討されているのです。付箋やカードの操作を通して、思考の整理を行うこと。それがポイントです。

思考整理のカギはデザイン。アイデアを付箋に書き、レイアウト感覚で並べたりグルーピングしたりしてみる。

# Column
## 3

# ノートに書いて、考える

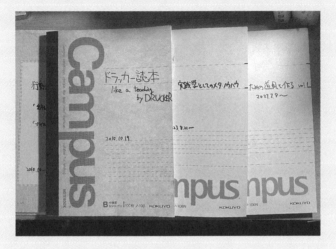

〈著者のテーマ別のノートたち〉

　言葉で表現しにくい活動があります。勉学でもないし、遊びでもない。一番近いのは研究ですが、そこまで大それたものではない。そんな活動です。

　そうした活動においてもノートは活躍します。むしろノートがなければ成立しないとすら言えるかもしれません。

たとえば、私なら「タスク管理概論」「新しい知的生産」「ドラッカー読本」などのテーマを決めて、それについて考えたこと、見聞きした情報などをまとめていくためのノートを作っていました。

**自分のためだけの思考を深める**

　これは誰かから出された課題でもありませんし、給与が発生する仕事でもありません。毎日書いてもログインボーナスはもらえないし、他の人にマウントを取ることもできません。ただ何かを知り、それについて考えるためのノート。理解を深めるノートです。

　「ドラッカー読本」のノートでは、ドラッカーの『マネジメント　エッセンシャル版』から重要だと思った箇所を引き、それについての自分の考えを書き込んでいきました。ひとつの引用につき、ノートの1ページを与えるという実に豪華な使い方です。それは内容を暗記するためではなく、内容を理解するためのノートの使い方でした。

　そこまでしてやっと、私はマネジメントについて考えられるようになりました。ドラッカーが何を考え、マネジメントという概念に何を託そうとしていたのかの片鱗に触れ

ることができた感触がありました。逆に言えば、そこまで手をかけないと物事を深いレベルで理解するのは難しいのです。

　自分の考えを発展させていく場合も同じことが言えます。あるテーマについて自分が考えていることを1冊のノートに書きまとめていく。そのうえで、考えを発展させ、それをまとめてみる。それくらいの手をかけないと、なかなか自分の考えには迫れません。そのときどきで何かを思いつき、時間が経ったらそれを忘れてしまう。その繰り返しです。

　だから私はノートを書きます。ノートを書いて考えます。そうすることで、たとえ僅かであっても大きなものに手を伸ばすことができるようになります。

## ノートはいつまでも待ってくれるパートナー
　そうした営みは、複雑な動機を持っています。知的好奇心もありますし、何かしら自分ができる貢献を求める気持ちもありますし、手軽で楽しい暇つぶしという側面もきっとあるでしょう。それらが複合したエンジンが私の手を進めていきます。

だからでしょうか。テーマを決めてノートを書き始めて
もぜんぜん進まないことがあります。途中までは書くけれ
ども、それ以上は発展しないことがあるのです。先ほど出
てきた「タスク管理概論」のノートは、最初の2ページを
書いてそれっきりで終わってしまっています。

　残念と言えば残念です。でも、自由と言えば自由です。

　思考の本質は自由にあります。規定された答えを求める
ことにはありません。だから思ったこと、考えたことがあっ
たらノートに書けばいいし、より考えたいこと、まとめた
いことがあるときもノートを書けばいいのですが、そうし
たものがなくなったら別に書かなくてもいいのです。それ
が自由であるということでしょう。

　発想や思考などは他の人から強制されるものではありま
せん。だからこそ、ずっと放置していても怒り狂ったメー
ルを送ってこないノートはとても大切なパートナーです。
そういう風通しの良さが、個人的には大好きです。

# #034

# 趣味ノート

　業務において何かを学ぶということ以外でも、学習の契機はあります。自分の趣味的なもの、ライフワーク的なものです。個人的研究といってもいいかもしれません。

**ビジネスから離れ、ノートのうえで自由になる**

　何かを学び、探求することはそれ自体が楽しいものです。生活に彩りを与えてくれます。ビジネスの世界では成果が第一に求められるかもしれませんが、そうした力学とは違った領域を持てることは有用でしょう。

　対象は何であっても構いません。実利・実益は気にしなくてもいいというよりも、そうしたものから遠ければ遠いほど楽しいということもあるでしょう。もちろん、実利・実益にむすびつく対象を選ぶのもひとつの選択です。文学・音楽・生物・料理・映像・裁縫・運動・外国語学習と、列挙できないくらいの対象があります。

**研究は楽しい**

　そうした趣味・研究においては、活動や観察をするだけ

でも十分満足感は高いものになりますが、ノートを使うともっと楽しさが増すのは間違いありません。活動や観察の記録を残し、後から振り返り、そこからさらに発展させていく。まさに研究そのものと言えるでしょう。

　学者のような仕事をしていないと「研究」というのは縁遠いものに思えますが、そういうわけではありません。研究は身近な活動で、日常のあちこちにその萌芽が潜んでいます。ぜひともその芽を育てていきましょう。

ノートは生活や仕事から離れた自分だけの場所を提供してくれる。「成果」から離れて自由に思考してみること。

#035

# 研究ノート

　研究ノートは、研究活動を記録する総合的なノートです。仕事ではプロジェクトノートに相当するでしょうが、そこまで生真面目に考える必要はありません。そのテーマに関することをどんどん書き込んでいくノート、くらいに気楽に捉えておく方が長く付き合えます。

　植物や動物の観察が趣味ならば、そのスケッチを描いていきましょう。楽器の練習をしているなら、その経過を記しましょう。小説やエッセイに熟達したいなら、まずノートにお試しで書いてみることです。語彙を増やしたいなら単語を、料理のレパートリーを増やしたいならレシピを、株式の研究をしたいなら株価の動向を書き留めましょう。何かアイデアを思いついたり、試してみたいことを見聞きしたりしたら、それもノートに書いておきましょう。

　一般的なノートの使い方では、最初にフォーマットを決めておき、以降はすべてそのフォーマットに合わせて書くというやり方がとられますが、研究ノートはそうした決めごとにとらわれる必要はありません。ある部分にはスケッチが並んでいて、別の部分にはアイデアメモが並んでいて、別の部分には雑誌の切り抜きが貼られたページが並んでい

て、という混合型のやり方でも大丈夫です。というよりも、そうしたやり方の方がフィットしています。

　なぜなら、そもそも研究活動というものが総合的な活動だからです。これさえやっておけばOKといえるようなものはありません。いろいろなことに手を出し、目を配り、思いをはせることが研究です。それを支えるノートも総合的に書けた方がよいでしょう。フォーマットの統一はそこまで優先すべきものではないわけです。

　また、活動を続けていくうちに興味の対象が変わってくることがあります。何に興味を持つのか、どんな興味を持つのかが変化するのです。そうしたときにフォーマットが統一されていると窮屈さを感じるでしょう。ノートが続けにくくなるのです。

　ですので、研究ノートに関してはあまり堅苦しくノートの書き方を定めるのはやめて、自由奔放にそのとき書きたいことを書き並べていくのがよいでしょう。

研究ノートは自由になれる場所。ここではルールはあまり気にせず、楽しく続けることが大事。

#036

# 読書記録

　研究活動のお供になるのが読書です。この世界は広いので、どのような分野であっても細かく探せば関連する本や雑誌が見つかります。そうした書籍を読むことは研究活動の助けになりますし、単純に楽しいものでもあります。あるいはライフワークとして読書を行っている場合もあるでしょう。何であれ、継続的に本を読んでいくのならば、その記録を残していくのは有用です。

　ノートの書き方は、簡素なものから豪華なものまでさまざまあります。簡素なものであれば、本を入手した日、読み始めた日、読み終えた日などのタイムスタンプをベースに、書誌情報や本の感想・コメントなどを書き込むだけで十分です。もし凝った記録にしたいなら本の表紙画像をパソコンでプリントアウトしてノートに貼りつけるといった手法もあります。

　あまり手をかけすぎると面倒になって続きませんが、書くことが楽しくなるならばその手法は肯定できます。趣味的なもの、あるいはライフワークにまで効率化を考えるの

は詮無いものです。自分が楽しく続けていける方法を見つ

けましょう。

〈読書記録のイメージ〉

『リサーチのはじめかた』
2023年9月1日発売
筑摩書房
トーマス・S・マラニー、クリストファー・レア
安原和見（訳）

読書 9月1日 〜 読了9月5日

研究活動そのものの手前にある「自分は何を研究したいのか？」という問い
に向き合うためのさまざまなレッスンが紹介されている"まっとう"な一冊.

読んだ後の感触を残しておくつもりで

タイトル＋著者＋出版社の3点の情報があれば、たいて
いの場合、あとからでもその本を特定できる。

# #037
# 成果のまとめとノート

　しばらく研究活動を続けていくと、知識や発見が貯まってきます。一度それをまとめておくのは有効です。もちろん、そこでもノートは活躍します。

　まとめ方にはさまざまなタイプがありますが、分類作り・年表作り・関係作りなどが一般的でしょう。

　分類作りは、情報に属性を与えていくつかのグループを作ります。ここでは綴じノートよりもカードが活躍するでしょう。年表作りは出来事を時系列に並べる方法で、表組みが活躍します。関係作りは、要素を1枚の紙に書き出していき、それぞれの関係を矢印や円を使って整理する方法です。

　こうした操作を通すと、それまでバラバラだった要素に1つの大きなまとまりや流れといったものが見えてきます。自分なりの発見です。そうした発見を得られることは、他に類を見ない喜びをもたらしてくれます。

　もしそうした発見が得られたのなら、文章として書き表してみてもよいでしょう。他の人が読んでもわかる文章で書くのです。そのような活動は「知的生産」と呼ばれていて、情報を生み出すための基本的な行為となっています。

〈年表作り／関係作り〉

情報技術年表

1936年　チューリング「計算可能数について」

1948年　シャノン「通信の数学的理論」

1951年　EDVAC完成

1953年　日本で民放でのテレビ放送が開始

1964年　東京オリンピック開催

1967年　『発想法』川喜田二郎,出版

1969年　『知的生産の技術』梅棹忠夫,出版

1972年　デニス・リッチーがC言語を開発

経済学の父は誰か?

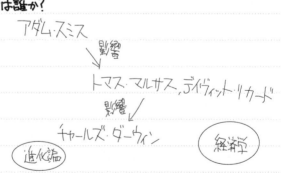

まとめると必ず発見がある

自由に研究をしたあとでそれを改めて自分なりに整理し
てみる。年表や図式をつくることで理解はぐっと高まる。

# 趣味を楽しむノート

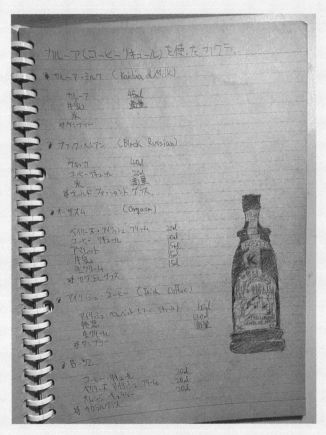

〈著者のカクテル研究ノート〉

若い頃、かなり真剣にバーテンダーになろうと思っていました。シェイカーやその他の道具を揃えて、シェイクの練習をしたこともあります。漫画『バーテンダー』は愛読書でした。そしてもちろんカクテルの勉強もしました。

## 真剣にやるから面白い

　その時代は、インターネットの情報はあまり整備されておらず、カクテル事典を引きながらノートに書き写していました。そうなのです。現代を生きる若い人は、あたかも情報がインターネットに「はえている」かのように感じられるかもしれませんが、実際はそんなに雑草みたいにわさわさとはえてくるものではありません。私がノートに書き写したのと同じように、誰かが情報をインターネットに公開してくれているのです。新しい技術が当たり前になってしまうと、別の形の当たり前がすっかり見えなくなってしまいます。

　ともあれ、私は最終的にはバーテンダーにはならず、こうして物書きになりました。日常的に使わない知識は脳からポロポロとこぼれ落ちていくものですが、それでもカクテルの名前や、ざっとしたレシピはほんのりと私の脳内に残っています。リキュールの名前を聞けば、ボトルのイメー

ジがくっきりと思い出せたりもします。

そうするとバーに行っても面白いし、お酒やカクテルが出てくる漫画もより楽しめるようになります。別段そういう「楽しみ」の向上のためにノートを書いたわけではありません。私はかなり真剣にバーテンダーの道に進もうと思い、真剣にその知識を学ぼうとしただけです。でも、その道のりはプロには至らず、結局は趣味になりました。人生なんて、そういう巡り合わせとすれ違いの積分なのです。

だからいつまで経っても、飽きないで済みます。

## 写すことの効能

凝ったのはカクテルだけではありません。音楽も好きでした。特に歌詞に興味がありました。通常の日本語とは違う、独特の感覚で紡がれる言葉たち。そうしたものを慈しみ、せっせとノートに書き写しました。

もしかしたら自分も曲が書けるようになりたいと思っていたのかもしれません。しかし、私がなったのは作曲家や作詞家ではなく物書きです。それでもこうして写経的に歌詞を書き写したことは、たしかに1つの経験であったと思います。言葉の選択に注目し、言葉の切れ目に注目し、言

葉のリズムに注目しました。そういう目が育ったという感覚があります。

　私たちは何かを見ているようで、ぜんぜん見てはいないものです。スケッチやイラストの練習でも言われることですが、言葉に関してもそれは同様です。リズムと一体化し、音として聞いているだけでは気がつかないことがたくさんあります。

　ノートを取ると、それが変わります。言葉そのものに注意を向けることになるからです。頭の中に一度入るのです。これがコピーアンドペースト（コピペ）との大きな違いです。

## コピペもできる時代だけど、ノート

　もちろん、コピペは便利なものです。その便利さによって私たちはたくさんの情報が扱えるようになりました。一方で、その大半は頭を通りすぎています。急行列車のように一度も停車することなく、ただ通過するだけなのです。

　世の中には頭の外に置いてあっても問題ない情報もあれば、頭の中に入ることで価値が生まれる情報もあります。その2つの情報を同じように扱ってはいけないでしょう。現代におけるノートの使い方の一番大切なのは、その点なのかもしれません。

# #038
# 「立ち止まる」ための
# ノート時間

　生活全般においてもノートは活躍します。もっと言えば、生きることそのものにノートはサポートを与えてくれます。そのサポートは、効率性が上がるとか生産性が高まるとかといったアクティビティへの寄与ではなく、充実感を得たり心の豊かさを増やしたりといった感覚的・精神的な支援といえます。

　なぜノートがそうした精神的なサポートになるかといえば、私たちが忙しすぎるからです。たくさんのやることや情報に追われ、落ち着いて考えられなくなっているからです。焦りやいらだちばかりが頭を占めて、自分がどういう人生を送ってきたのかを振り返る余裕もありません。

　ノートを書くには、手間も時間もかかります。ボタンを押したら瞬（また）く間に情報が整理されるわけではありません。自分で手を動かし文字を書いていく必要があります。非常にまどろっこしいでしょう。しかし、そのまどろっこしさが速度を調節し、ギアを落としてくれます。落ち着いて考えるための時間を創出してくれるのです。

　もちろん、ノートが手もとにあるだけで身の回りの忙しさが勝手になくなるわけではありません。それこそ、本書

でここまで紹介してきたようなノートの使い方や工夫を駆使することで、時間的余裕を手にできるようになることは必要です。しかし、そうして効率化に成功したとしても、気持ちが前のめりな状態になったままでは焦る気持ちは消えないでしょう。

ゆっくりノートを書くことで得られるのは、そうした気持ちのうえでの落ち着いた時間です。外部的な物事から距離を置き、自分自身について考える時間を得ること。そうした時間の創出は、ノートならではの効果といえるでしょう。いくらインターネットを漁っていても、決して得られない時間です。

こうしたノートの使い方は、生産性や効率性という観点では決して評価を得られないものですが、だからこそ決して見逃してはいけない役割を担うものだと言えるでしょう。

ネット環境でつながり過ぎのわたしたちにとって、手書きのノートはつながらない時間をつくるツールになる。

# #039
# ライフログノート

　ライフログノートは、簡単に言えば日記です。自分の人生の記録を綴ったもの。発端となったのはゴードン・ベルとジム・ゲメルによる『ライフログのすすめ』（早川書房）で、そこではデジタルによる一人の人間の完璧な記録が意味されていたのですが、今ではもっとカジュアルに「人生の記録」という意味で使われています。

　そうした人生の記録には、2つのタイプがあります。事実の記録と感情の記録です。前者は実際に起きた出来事の記録で、後者は自分が思ったこと考えたことの記録です。前者を日誌、後者を日記と呼んで区別する向きもあるようですが、ライフログではそこまで気にする必要はありません。むしろ、その2つが合わさったものが、日記でも日誌でもないライフログと呼ぶにふさわしい記録だと言えるでしょう。なにせ事実だけの人生もなければ、感情だけの人生もありません。その2つが合わさってこその人生です。

　ライフログノートの書き方も、日記や日誌を思い浮かべればよいでしょう。その日にどういう出来事があり、どんなことを思ったのか。まずはそれを記します。そして、そ

こからどんなことが考えられるのかも合わせて書きます。

〈心の記録イメージ〉

10/11
　店員さんの態度にすごくいらいらしてしまた。なぜだろうか。
　テキパキ対応してくれているようでいて、こちらの反応を
　まったく気にしていないように感じられるからだろう。いっそ
　不愛想の方がマシなくらいだ。
　たぶん自分にもイラチな所があるので月末嫌悪なのかも
　しれない（十分ありえる）

　たとえば、悲しい出来事や怒りを覚える出来事があった
ときになぜ自分はそうした感情を抱いているのかを考えた
り、嬉しい出来事があったときに他に似たような嬉しさを
感じたのはいつだったかを考えたりするわけです。出来事
や感情そのものを記しながら、少しだけ高い視点に立って
その出来事や感情について考えてみる。そのようなノート
の書き方は、自分の人生を見つめる視点を変えてくれるは
ずです。

> 自分にしか書けないことは自分自身の心の動き。論理や
> 知識に比べ軽んじられるが、心の動きは大切。

# #*040*

# 振り返りノート

　ライフログノートは日記的・記録的なので日々の生活の中で残すものですが、それとは別に節目ごとに振り返りのノートを書いておくのもお勧めです。

　一番わかりやすいのは1カ月に一度その月を振り返ってみるノートです。その月に何があったのか、何を達成できて、何が達成できなかったのか。それについてどう思ったのか。次にどうしようと考えているのか。そうした事柄を文章で書いていきます。

　スパンは自由に変えてよいでしょう。3カ月に一度、半年に一度、1年に一度。さまざまなタイミングがあります。あるいは、何か大きな出来事（転職、身内の不幸、引っ越しなど）があったら、そのタイミングで自分の人生を振り返っておくのもよいと思います。

　日々を忙しく過ごしていると、一番失われやすいのがこうした振り返りの時間でしょう。特に社会人になると、目の前のことが忙しすぎて自分の人生をじっくり考える時間が持てなくなります。そんなことをやっている暇があるなら少しでも仕事をしないと、という気持ちになるのです。

　もちろん、そうした生き方もひとつの選択ではあるので

すが、問題はそうした選択を意識的に選んでいるのかどうかです。それこそじっくり腰を落ち着けて、「自分は仕事にすべての時間を使うのだ」と考えた結果なら、そのように仕事に邁進しても後々後悔はないでしょう。しかし、考えて選択することをせず、ただ巻き込まれ、流されているだけなら、後になって「自分の人生とは何だったのか」という気持ちが出てきたときにうまく対処できなくなります。

　だからこそ、定期的に「自分の人生とは何だったのか」を振り返っておくことには意味があります。良いこともあれば、悪いこともあり、予想通りなこともあれば、予想外なこともあります。それらを振り返りながら、「じゃあ、ここからはどうしようか」と考えることで、少しずつ納得感がある生き方に向かっていけるでしょう。

忙しいと、だんだん自分が自分でなくなるような感覚になる。そんなときはノートでふりかえってみること。

# 1年の振り返りもノートで

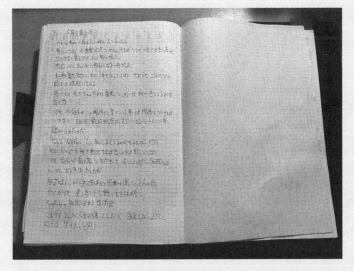

〈著者の振り返りノート〉

　紙の手帳を使っていたときは、1年の最後にその年の振り返りを書いていました。私が使っていた手帳には、最後の方にノートページがついており、大晦日になってもたいてい使われずに残っているので、そのページを開きます。後は、たっぷりのコーヒーとお気に入りのボールペンを持ってくれば準備OKです。ページの左上に日付を書き込んで、

そこから振り返りを始めます。

　最初に必要なのは、テーマです。何について振り返るのか。といってもあまり厳密に考える必要はありません。仕事についてなのか、家庭についてなのか。何となく振り返りたいことを見定めます。だいたいこの辺でそういえばと思い出すのが、年始の時点で考えていた今年の目標です。「この1年は、こんなことをしよう」「この1年は、こんな感じにしよう」と決めて、それを手帳に書いていたのでした。

**振り返るのは、年始の目標だけじゃない**
　1年の振り返りでは、そうした目標をどれだけ達成したのかも確認したいところです。しかし、それをいきなり主題に据えてしまうのはちょっと違うでしょう。なぜなら、そうした目標とぜんぜん関係なく行った行動も1年のうちにはたくさんあるからです。最初に目標を振り返りの主題に据えてしまうと、それ以外の行動が見えなくなってしまいます。それはちょっともったいないことです。だから、まずその時点で思い浮くことを主題に据えるのです。もちろん、目標として決めたことも1つの項目としては振り返ります。それくらいの位置づけです。

## 1年の行動をむすびつけていく

　最初に大雑把に書き始めた振り返りも、だんだんと「矢印」がつながってきます。仕事のことを振り返っていたら、一緒に働いていた人のことが思い出されるかもしれません。家庭のことを振り返っていたら、自分の健康のことを思い出すかもしれません。物事はつながっているので、そんな感じで連想が広がっていきます。

　できるだけそうした連想は抑え込まないようにします。連想的に思いついたことがあったら、矢印を伸ばして新しい場所に書いておきます。試験の解答用紙のように上から下に順序よく書いていかなければならないという決まりは自分のノートにはありません。思いつくことがバラバラならば、そのバラバラの感じに合わせて書き込むのがうまい使い方です。

## 今年のことから、来年のことを自由に連想していく

　そのようにして1年を振り返っていると、その年のことが思い出されるだけでなく、「じゃあ、来年はどうしようか」という前向きの連想も生まれてきます。うまくいかなかったことがあったら、ちょっとやり方を変えてみる。うまくいったことがあったら、それが継続するように努めてみる。そ

のようにして過去から現在に線が引かれ、現在から未来へ
と線が伸ばされます。

　だから振り返りは決まり切ったフォームではなく、自由
に書けるノートで行いたいものです。物事の横のつながり
や、過去から未来への接続を捉えるためには、堅苦しい
フォーマットを脇に置いておき、連想のままに書き連ねて
いくやり方が適しています。

#041

# 頭を動かすノーティング

　最後に紹介するのは、ノートのユーティリティー的な使い方です。これまで紹介してきたのは、それぞれの分野・ジャンルに応じたノートの使い方ですが、それよりも広い場面で活躍する汎用的なノートの使い方をまとめておきます。

　たとえるなら、やすり掛けやねじ締めや油差しのような、表舞台に立つのではなく裏方として全体を支えるようなノートの使い方です。そうした整備作業は目立たない存在ですが、それが欠けていると全体がうまく回りません。ぐらついたり、流れが滞ったりするのです。

　たとえば、私たちは何かを思い、考え、判断しながら生きていますが、それがうまくいかなくなるときがあります。そうしたときに活躍するのが次頁から紹介するノーティングです。一見するとこんな方法で本当に効果があるのかと疑りたくなるかもしれませんが、ちょっとした準備運動で体がほぐれるのと同じように、ちょっとしたノーティングによって心や頭がほぐれていくことがあります。

> 物事がうまく進まなくなったときにもノートは役立つ。
> 頭を柔軟に動かしていくためにノートを書くこと。

# 042

# フリーライティング

　フリーライティングは、文字通り自由に書く技法です。
この技法の特殊さは逆から考えるとわかるでしょう。

## 書くことと、フォーマット

　私たちは何かを書くとき、たいてい「何か」として書い
ています。たとえば私は今この文章を「書籍の原稿」とし
て書いています。これが終わったら何かを「つぶやき」と
して投稿するでしょう。他にも「メール」として、「日記」
として、「チャット」として何かを書くはずです。このよ
うに私たちは何かしらのフォーマットを指向して文章を書
きます。その指向性が、どんな内容にするのか、どんな文
体にするのか、どんな言葉を選ぶのかという思考に影響を
与えているのです。

　フリーライティングは、そのフォーマットを「無」にし
ます。あえて言えば「フリーライティング」として書くよ
うにするわけですが、どのようなものを書けばフリーライ
ティングと言えるのかの規定はありません。ある意味で、
どんな風に書いてもそれはフリーライティングとして成立

します。それが「自由に書く」ということの意味です。

## 10分間、好きに書いてみる

　だいたい10分ほどの時間を設定し、その時間はひたすら手を止めずに書き続けていきます。頭に思い浮かんだことをそのままに書きつけていく感じです。私たちが文章を書いているとき、常に心の検閲が働いているのですが、手を止めずに書き続けることでその働きが弱まっていきます。思っていることをそのまま出せるようになるのです。体裁も整っておらず、格好もよくはないですが、まさにありのままの考えが表に出てきます。

〈フリーライティングのイメージ〉

2023年9月23日
　　考えていることをざっと書き出してみたい.
　　自分はいま何を考えてる?
　　不安なことはあるだろうか.
　　やることが多い. 多すぎるという感覚はある.
　　一度整理しておくことが必要だろう.
　　ほかには何かないか
　　そろそろコーヒー豆を買いに行かないと.
　　そういえば ガソリンが高すぎる

**頭に浮かんだことをとにかく書いていく**

## 意外な自分と出会う

　そうした考えの中には、ときどき危ないものも混ざっています。人道的でないもの、社会的でないものもあれば、とんでもなく巨大な野心だったり、びっくりするほど小心者の願いだったりが含まれるのです。正直いってあまり見たいものではありません。というか、見たくないから普段はそうしたものが表に出てこないのでしょう。

　フリーライティングでは、そうした思いをぎゅっとはきだすことになります。逆に言えば、思いをはきだしたくなったら、一度フリーライティングに挑戦してみるとよいでしょう。あるいは、毎朝少しだけ時間をとってやってみるのもお勧めです。

> フリーライティングは頭に浮かんだことをそのまま書いていく方法。自覚してない野心や不安がでてくることも。

# #043

# テーマライティング

　フリーライティングは、基本的にテーマを決めない技法ですが、あえてテーマを決めてやってみることも面白いものです。「自分が今やっている仕事について」や「家族との生活について」などのテーマを決めて、それについて思い浮かんだことをひたすら書き続けていく。あるいは「次の本のコンセプトについて」とか「人生で成し遂げたいことについて」というテーマのもとで書き続けていく。自分の頭と心にあるものを掘り出していきます。

　部分的にみれば、これは一人で行うブレスト（ブレインストーミング）のようなものです。さまざまな思いや考えが嵐のように吹き乱れるでしょう。しかし、ブレストと違って、それらについて同意する必要もなければ、反論する必要もありません。話をまとめることすら不要です。ともかく自分の頭の中を覗いてみること。それをやってみるのです。

　もちろん一通り考えを出した後に、それらについて整理することは有用です。そうした整理ができたら、きっと頭の中はもっとすっきりするでしょう。しかし、あくまでそ

れは一通り終えてからのことであって、考えている最中に
やってはいけません。また、まとめようとしてうまくまと
まらないなら、そのままにしておきましょう。そのときは、
時間をおいてもう一度同じテーマについて考えを書き出せ
ばまた違った風景が見えてくるはずです。

**〈テーマライティングのイメージ〉**

2023年9月23日　落ちついたらやってみたいこと

・まず本棚の整理をしたい. すでにカオスが召喚されている
　└いくつか処分して新しいテーマ用のスペースを設ける
・SNSの整理もしたい. アーカイブが作れるように
・大きな書店に行くこと これは, 必須
・3日ほど何も考えずボケーっとしたい
　　└次の大きなテーマを考える余裕が欲しい
・どこか旅行? (近場でもよい)

**テーマライティングはあるテーマで頭に浮かんだことを
書いていく方法。言葉になることで、心が整理される。**

# #044
# ブレインダンプノート

　ブレインダンプノートは、頭の中のモヤモヤしていることをすべて書き出す技法です。部分的にはフリーライティングやテーマライティングと似ていますが、「気になっていることをすべて書き出してスッキリする」ことが主要な目的になっているのが違いです。

　モヤモヤをすべて書き出してスッキリすることが目的なので、気になっていることの数が少なければ短時間で済みますが、そうでなければかなりの時間がかかります。特に最初は、たくさんのモヤモヤが溜まっているでしょうから、2時間程はかかるかもしれません。大掛かりな「気持ちの棚卸し」のようなものです。

　場合によっては、「気になっていること」を引き出すための質問を参照することもあります。「仕事のことで気になっていることはありますか?」「同僚のことで気になっていることはありますか?」「将来のことで気になっていることはありますか?」といった問い──トリガークエスチョンと呼ばれます──を使い、自分の心にあるモヤモヤを掬

185

い上げていくわけです。それらすべてを紙の上に書き出せれば、かなりのスッキリ感が得られるでしょう。

**モヤモヤを客観視する**

　では、そうして書き出した後はどうすればいいのでしょうか。人によっては、書き出したものを「やりたいことリスト」などに書き写して以降の活動に役立てることもあるようですが、そこまで綿密にやる必要はありません。書き出してスッキリしたら、もう十分に役立っています。

　実際こうして書き出したものは、海の中に投げ込んだ巨大な網のようなもので、小さなものから大きなものまで一緒くたになっています。小さなものすらも取りこぼさないからこそスッキリできるわけですが、日常生活でそうした小さなものは別に忘れても構わないでしょう。あまり細かすぎることにこだわりすぎると、別のモヤモヤが立ち上がってきてしまいます。ですので、一度すっきりできたらそれでよしと考え、またモヤモヤが溜まってきたタイミングでこのブレインダンプを再び行えばよいでしょう。

> ブレインダンプノートは、モヤモヤを書き出す方法。この方法はかなりささいなことも書けることが利点。

## Column 6

# ノートは待ってくれる

〈『夜と霧』（みすず書房）〉

　ここで必要なのは生命の意味についての問いの観点変更なのである。

　すなわち人生から何をわれわれはまだ期待できるかが問題なのではなくて、むしろ人生が何をわれわれから期待しているかが問題なのである。

ヴィクトール・E・フランクルの『夜と霧』の有名な一文です。

　日本語としてここに何が書いてあるのかを理解することは難しくないでしょう。「生命の意味についての問い」の観点の変更が必要であること、そしてそれが「人生から何をわれわれはまだ期待できるかが問題」ではなく「むしろ人生が何をわれわれから期待しているかが問題」への転換であることは容易に読み取れます。

## 言葉は経験とむすびつく

　一方で、このメッセージが何を意味しているのかを理解できるとは限りません。少なくとも日本語が読めれば即座に理解できるとは言えないでしょう。この文章を読む人に何かしらの経験があり、その経験に基づいて読み解くことではじめて理解できるようなところがあります。

　あるいはこんな風にも言えるでしょう。この文章を読んだ後に何かしらの経験を得て、そのときはじめて「ああ、あれはそういう意味だったのか」と腑に落ちる。そういうことが起こります。

　その意味で、私たちが本や文章を読むことは、後から振り返ったときに理解できるフックを数々と仕込んでおくことといえるかもしれません。何がどう実をむすぶかはわからなくても、たくさん本を読んでいれば、後から「ああ、あれはそういうことだったのか」と理解できるようになる。自らの体験を解釈し、意味づけできるようになる。自発的に、自分の人生の伏線を仕込んでいるようなものです。

## ノートは、急かしたりしない

　『独学大全』（ダイヤモンド社）という本において、著者の読書猿さんは「書物は待ってくれる」（Books can wait）と述べました。たしかに本は、急かしたりしません。読み手がページを.くるその日まで、ずっと動かずに待っていてくれます。その速度感こそが、情報の濁流に巻き込まれがちな私たちにとっての防波堤になってくれるのでしょう。

　個人が書くノートも同じです。

　ノートは、急かしたりしません。何を書くのもまったく自由です。そして一度書いてしまえば、その情報は固定され、そのままの状態でキープされます。いつか使われるときまでずっと待ち続けてくれるのです。

ノートを焦って役立てる必要はありません。単にそのときそのときのノート書きを楽しんだり、こつこつ記述したりしていけばいいのです。本を「何かしらの役に立てるぞ」という気持ちで読まなくてもよいように、ノートとも気楽に、気長に付き合えばよいのです。

　私たちは、たぶん人生を一度生きただけでその意味を読み解くことはできません。だからこそ、自分の人生について書き留めておき、後から理解するためのノートが必要なのです。

*Chapter 4*

# ノートQ&A

# 自分だけの知的道具をつくる。

こ　こまで紹介してきた知識や技法があれば、ノートの基本的な使い方はばっちりです。後は実際に使いながら、状況や用途に合わせてアレンジを重ねることで、自分なりのノート環境が作っていけるでしょう。

とはいえ、実践する中で困難な問題にぶつかるかもしれません。実践とは常に具体的なものであり、それぞれに特殊な問題をはらんでいるものです。一般的な知識だけで解決できるとは限りません。それに、いくらノートは自由に使えばいいからといって、どのように考えていいのかがわからなければ、応用もアレンジもできないでしょう。

そこでこの章では、ノート利用において起こりがちな疑問や質問をQ&Aの形式でまとめていきます。

ただし、参考にしてもらいたいのは答えそのものではなく、その答えを導き出す考え方のほうです。その考え方さえ身につければ、違う形の問題にぶつかったとしても自分なりに考えて答えを導いていけるようになるでしょう。

どこまでいっても、あなたの問題を解決できるのはあなただけです。そのために、自分の頭を使って考える必要があります。

# #045

# 何から始めるのか

**Q** 「とりあえず、何から始めたらいいですか」
**A** 「いま興味があるテーマのノートを1冊作りましょう」

　さまざまな道具や技法が並んでいると、ついつい目移りしてしまうものです。あれやこれやと欲張ったり、格好いいやり方に憧れたりすることもよくあることです。しかし、どうであれ人間はできることしかできませんし、一度に取り掛かれるのは1つの行為だけです。いろいろ手を出すことは長期的な目標として、まずは何か1つテーマを選んで、そのためのノートを作ってみましょう。

**アクティブな気持ちにしたがって**

　テーマの選択は、「今の自分が興味を持っていること」にするのがポイントです。気持ち的にアクティブになっているもの、すでにいろいろ情報を集めたり、関心を持って眺めているものです。そうした対象を選んでおけば、無理やり自分を鼓舞する必要はありません。「何となく英語を勉強したいと思っているから、何となくノートを作ろう」くらいの気持ちでは、さすがに継続は難しいでしょう。

仕事のやり方を変えたいと思っているならば、作業記録から。映画鑑賞や読書が趣味なら、そのためのノートから。自分の生き方や考えを残しておきたいなら、日記やアイデアノートから始めてみてください。そうしたワンテーマから始めて、慣れてきたら徐々に違ったテーマに手を広げていくやり方がよいでしょう。

## 最初の志にしばられすぎない

　ただし、注意があります。最初にテーマを決めたからといって、歯を食いしばってそのノートを続ける必要はないということです。人間とは不思議なもので、「これなら続けられる」と思ったテーマでも案外あっさりと熱が冷めることがあります。そうしたときに、すぐに熱が冷めてしまう自分はダメな人間だと思ってしまうのはなかなか辛いものです。実際は、多くの人が似た状態になっています。そうした状態は、単に選ぶテーマを誤っただけであって、当人がダメ人間というわけではないのです。

　ですので、続かなくなったらその時点でやめてしまって問題ありません。あらためてその時点で「いま興味があるテーマ」を選び直してノートを再開してみてください。そうしているうちに、少しずつ「ノートを書く」という行為

そのものに慣れていきます。

　もし「いま興味があるテーマ」がパッと思いつかないなら、「自分が興味があることは何だろうか?」をテーマにしてノートを作ってみるとよいでしょう。そのノートに、自分が読んだ本や気になった記事などを書き留めていき、自分の関心事を探っていくわけです。何はなくとも「この本を読んでいるあなた」はたしかに存在するのですから、そこを起点に話を始めてみてください。

> **ノートをはじめるときのテーマは「今の自分が興味を持っていること」。興味の対象が変わっても、書き続けられる。**

# 046

# いつ見返すか

**Q**「どうやったらノートを見返せるようになりますか」
**A**「漠然とではなく、目的を持ってみましょう」

　ノートについてのよくある相談が、「書くことは何とかできているが、うまく見返せていない」です。たいへんよくわかります。同じような悩みを抱えている方はたくさんいらっしゃるでしょう。

### 実際、見返すことは難しい

　まず最初に確認しておきたいのは、見返すことは基本的に難しいということです。もう少しいうと、これまでまったく見返しをしてこなかった状態から、日常的に見返しを行う状態に移行するのが難しいのです。端的にいえば、それは新しい習慣の確立だからです。

　習慣を新しく作るのって難しいですよね。だから、見返すことが続けられていなくても落ち込む必要はありません。それ自体、かなりの難関なのです。「うまくいかなくて当然」くらいの感じで大丈夫です。

その上で考えてみましょう。そうした見返しは、基本的には無目的に行われます。別の言い方をすれば、見返すことそれ自体が目的になっています。だから、それをやったからといって何かの達成につながるわけではありません。そうした行為はモチベーションが湧きにくく、モチベーションが湧きにくい行為は、継続が困難です。

逆にいえば、それがすでに習慣になっている人は、そうしたモチベーションが不要です。モチベーションがなくたって行為ができてしまう。ここに「すでにできている人」と「そうでない人」の溝があります。「すでにできている人」のやり方をそのまま真似しても、「そうでない人」はうまくいかないのです。

**何を見返すモチベーションにするか**

その点を理解した上で、じゃあ、どうすれば見返しに取り掛かれる気になれるかといえば、何かの目的を設置しておくことが有効です。ただ漠然と見返すのではなく、「良さそうなものを見つけたら、抜き出して別の場所に転記しよう」とか「ブログのネタを見つけよう」とか、何かしら実際的な目的を設定しておくのです。そうすれば、モチベーション・ZEROの状態を緩和できるようになります。

あるいは、別の方向からも考えられます。皆さんが書いている記録は、果たして「見返したくなる」ように書かれているでしょうか。もしそんな風に書かれていないとしたら、見返したい気持ちが湧いてこなくても不自然ではありません。むしろ、ごくまっとうな帰結でしょう。

　逆に考えれば、自分が見返したくなるように書いておくことで、見返すためのモチベーションを少し上昇させることができます。

・丁寧に字を書くこと　（きれいに書く必要はありません）
・自分の興味ある話題を書くこと
・形式を整えて書くこと

　工夫はいろいろありえます。そして、ここまでの「仕込み」をしないと、見返しはなかなか続きません。それくらい難しい行為なのです。100人が取り組めば、97人はまず挫折します　（そのうちの3人がノウハウ本を書くから世の中はややこしくなるわけですが）。

　よって、「まず書けたらOK。見返せたらラッキー」くらいの気持ちでいるとよいでしょう。

　書いたものをすべてを活用しなければ、「ノートが使えている」とはいえない、何てことはありません。すべての記録は不十分にしか活用できないものです。

　という風に開き直っておくと、もっと気楽にノートと付き合えるかと思います。

**無理に見返さなくてもOK。ただ、見やすいもの、本当に自分の興味が書かれたものは後で眺めるのが楽しい。**

# 047

# 記入量の増やし方

**Q** 「記入量を増やすにはどうしたらいいでしょうか」
**A** 「見返しと追記をセットに考えましょう」

　ノートはある程度書けているが、もう少し書く量を増やしていきたいという悩みもあります。そしてこの悩みは、先ほどの見返しとセットで考えるとうまくいきます。簡単に言えば、「書いたときに、見返す」「見返したときに、書く」やり方をするのです。

**前に書いたことを読んで刺激を与えよう**

　たとえば、アイデアノートに思いつきを書きつけるとしましょう。ポケットからノートを取り出して、新しいページに書き込むわけですが、その際にちらりと以前の書き込みを「見返す」のです。それはもはや「見返す」のような意識的な活動ではないかもしれません。「ちょっと目に入ってしまう」のような不随意な現象です。

　しかし、意識的であろうがなかろうが、そのタイミングで過去に書かれたものが私の目に入り、私の脳はその情報を処理し始めます。そして、その処理の結果、何かしら新

しいことを思いついたら、それをノートに書き込みます。これが追記です。

もしかしたら、こんなことは日常的に行われているかもしれません。だとしたら、実はもう十分に「見返し」はできているのです。ノートを取っていない人では絶対に起きないであろう情報との再会が発生し、そこからの情報処理が行われています。十分に効果を発揮しているのです。

## ちらっと目に入るという程度でOK

とはいえ、当たり前にやっているのでたいした実感はないでしょう。少なくとも何かすごいことをやっている感覚はないはずです。「ああ、自分は今たしかにノートを活用しているぜ」という感覚は得られないということです。

しかしながら、そうした感覚を求めすぎると、ノートの運用は失敗します。ノートはそこまで「たいしたもの」ではありません。強力なドーピングではなく、毎日の健康的な食事のようなものです。そうした食事の効能は、それが失われたときしかわかりません。何かしらが維持されていること自体が、効能だからです。

だから、以前書いた記録がちらっと目に入るという程度でぜんぜんOKです。それだけでもずいぶん違ってきます。もちろん、そんな低レベルな話では、できるビジネスパー

ソンに変身することはできませんが、どんなノウハウを使っ
てもそのような変身は望めないわけで、ちょっとした効能
が得られるだけでも十分な達成でしょう。

　今日の記録をとるときに、ちらっと昨日の記録を見る。
新しいノートを書き始めるときに、ちらっと前のノートを
パラパラとめくる。そして、思いついたことがあったら、
追記する。

　それくらいのゆるい感覚で以前の記録を見返すようにし
ていくと、全体としての記録の活用度は上がっていきます。
連用日記（同じ日付のページに年ごとに日記を書いていく方式）も、
こうした活用スタイルに位置づけられるでしょう。

　逆に考えれば、自分のノート環境を設計する際には、い
かに「書いたときに、見返すことができるか」を考慮して
おくと、うまい環境が作れるかもしれません。少なくとも、
「意志の力で、何とか見返しを達成しよう」と決意するこ
とに比べれば、はるかに建設的な考え方ができるはずです。

　　記入の増やし方はいっきに書くのではなく、追記を意識
　　すること。それによって見返しも増えていく。

# #048
# ノートの使い分け

**Q**　「ノートは1冊か複数冊のどちらがよいでしょうか」
**A**　「メインとサブを設定してみましょう」

　ノートについてのよくある相談のその2が、ノートの使い分けについてです。Chapter.2でも少し触れました。1冊にすべてをまとめていくのか、それともテーマごとに分冊するのか。なかなか悩ましい問題ですが、考えてみるとこれは非常に現代的な問題と言えるでしょう。はるか昔、書きつけるものが非常に高価だった時代であれば、とにかく書くものがあればそれでよく、その道具を十全に選ぶことなどできなかったはずです。これでは悩みようもありません。

**使い分けに決まりなし、各自調節すべし**

　とはいえ、そのような前近代に戻って、「このノートだけ使っておけば、使い分けなど考えなくてもよろしい」とアドバイスするのはいかにも手抜きな話ですし、現実的でもないでしょう。そもそも現代では、デジタル端末を抜きにして情報を扱う話を進めるのは難しいものです。かといっ

て、アナログツールをすべて捨て去れるほど社会がデジタル化されているわけでもありません。現代において、ノートをどう使い分けるのかは、かなり実際的な問題として立ち上がってくるわけです。

そうした状況を踏まえた上で「使い分け」について考えていくわけですが、正直なところ「これ!」という答えはありません。それぞれの人が自分の環境を考慮して、そのバランスを判断していくしかない、というのが率直な答えです。

## マストを1つ決めて、後は「好い加減」に

ただし、ひとつのアドバイスとしては、「これがなくなると、マジで困る」という情報に関しては1つのツールにまとめておくのがよいでしょう。そのツールは、綴じノートでも手帳でもEvernoteでもNotionでもGmailでも何でも構いません。何であれ自分が仕事や作業をするための最低限の情報セットアップはそこに揃えておく、と決めるのです。

それだけを決めておいて、後は気にしません。

細かい情報については、なかなか見つからなくても、探し回ることになっても、端末で同期が取れていなくても、

「まあ、しゃーない」と割り切ります。

　あまり格好いいとはいえませんが、すべての情報を精緻に管理しようとすると、そのコストと手間が膨大に跳ね上がります。はっきりいって、割に合うものではありません。非常に趣味的な「管理」になってしまいます。

　ポイントは、「情報」を単一で捉えないことです。少なくとも2層、つまり「これだけは絶対必要」層（メイン）と「あったらあったで便利」層（サブ）に分け、前者についてはコストと手間をかけてすぐに使える状態にしておき、後者については「まあ、しゃーない」と割り切ってしまうことです。見つからなくても「まあ、しゃーない」、保存していなくても「まあ、しゃーない」のマインドセットです。

　こういう2つのマインドセットがあれば、ノートの「使い分け」についても考えやすくなるでしょう。

　ノートの使い分けは、情報を2層で捉えること。メインには手間をかけ、それ以外は手抜きでよしとする。

# 049

# 「やること」の記録を
# どう利用するか

**Q** 「タスクなどの記録を残していますが、
　　あまりうまく使えていません」

**A** 「ノートに感想を書いてみましょう」

　タスクリストを作ったり、作業記録をつけていたりすると、日々たくさんの情報が生まれてきます。それはそれで好ましいことですが、情報が貯まっていく一方で、情報量に見合う活用ができていないと感じる人も多いようです。

　もちろん、記録というのは自分のために使うのであって、記録があるから使わなければならないというのは本末転倒な感覚でしょう。日々のタスクがうまく進んでいるならば、もうそれだけで記録の効果はあったと考えられます。

　とはいえ、せっかく日々情報を作っているのだから、それを使いたいという気持ちも十分にわかります。そこで、その利用方法を考えてみましょう。

**なにを知りたいか、それがすべて**

　たとえば1週間に一度、自分がその間に書いたタスクリストや作業記録を読み返してみます。その上で、ノートに何かを書きます。何を書くのか？　わかりません。その答えは、あなたがどんなことに興味を持っているのかによります。

　もし作業の効率化を望んでいるならば、各作業にかかった時間や、作業の順番、割り込みの頻度や発生源の特定などを分析することになるでしょう。あるいは、作業が成果にどれだけ貢献しているのかを知りたければ、作業をカテゴリごとに分類して、その合計を円グラフでまとめるようなことをしてもいいかもしれません。

　こういうことをしていると、いかにも「情報を活用している」という感じになりますが、かなりの大仕事になるのでいきなり取り掛かるのは難しいでしょう。そもそも、自分がどんなことに興味を持っているのかすら、わからないこともあります。

　そこでもっと簡易版から始めてみましょう。

## ひとまず、1週間分を振り返って、感想を

　1週間分の記録を読み返し、その期間に自分は何をやったのか、そして何ができなかったのかを振り返り、その感想をノートに書きます。ちょっとした1週間のダイジェストを作るような感じですね。そんなちょっとした作業だけでも、十分に書いた記録を活用できているといえます。

　ここでのポイントは、単に「記録を振り返る」だけでなく、「振り返って感想をノートに書く」という具体的なアクションを目標に設定しておくことです。「記録を振り返る」だけだと、何をしたらそれが達成できたのかが曖昧です。最初から最後まで読み返せばそれでいいともいえますし、そうでないともいえます。そういう曖昧な行動はなかなか着手されません。そこで、明確なゴールを設定しておくのです。

　そうやって1週間ごとの感想が残せれば、たとえば1カ月や四半期に一度それらの感想を読み返すことで、さらに大きな粒度での振り返りも行えるようになります。

　とはいえ、ここまでの話がきわめて面倒に感じられ、何の興味も覚えないならば、まったく無視してもらって大丈

夫です。結局のところ、人は興味のないことなど続けられませんし、無理に続けるものでもないでしょう。

　自分のやることを整理し、優先順位をつけて、ある程度それが達成されているならばそれでもう十分でしょう。それ以上の分析を求めるならば、相応の手間を覚悟しなければなりません。その手間に成果が見合うのかどうかは、ちょっと考えておきたいところです。

> 振り返りがなかなかできないなら、肩ひじ張らずまずは
> 素朴に「感想」を書いてみること。

# 050

# メモとノートの役割分担

**Q**「メモとノートの違いって何ですか」
**A**「短期がメモ、長期がノートです」

　メモもノートも、どちらも書き留めるものですが、運用においては違いがあります。メモは、短期間で処理される情報を指し、ノートは長期間保管される情報を指します。たとえば、買い物リストはメモになるでしょう。買い物が終わったら、そのリストの役割は終わるからです。一方で、買い物の出費記録はノートになります。家計簿として長期的に保存される情報だからです。

　注意したいのは、これは「書かれたもの」についての区別であって、書き留める道具そのものの区別ではない点です。つまりメモ帳にノートを書くこともできれば、ノート帳にメモを書くこともできます。ややこしいですね。とはいえ、たいていのメモ帳は紙がぺらぺらで長期的な保存には向いていない材質になっていますし、たいていのノート帳はしっかりと綴じられて紙が散逸しにくい構造になっています。つまり、情報の利用形態に合わせた形状になって

いるわけです。よって、その形状に合わせるように使えば、違和感は大きくならないでしょう。

　むしろ重要なのは、情報の利用期間に目を向けることです。その情報が短期で処理されるならば、書き込みの詳細は最低限で構いません。一方で、長期での利用が想定されるなら、可能な限り文脈を添えて詳細度を上げておく必要があります。そうしないと、後から見た人間（自分を含む）がその内容を理解できなくなるからです。その意味で、一番まずいのがメモを書くようにノートを書いてしまうことです。その点には注意しておきましょう。

　そう考えると、少し大げさになりますが、個人にとって一番長い射程のノートは「本」です。本を書くことは、自分以外の誰かに向けた1冊のノートを書くことなのです。

> 記述にはそれぞれ情報の利用期間がある。メモは短期的に、ノートは長期的に利用されることを意識する。

# 051

# デジタル情報との
# 付き合い方

**Q** 「アナログに比べると、
　　デジタルツールには不安を覚えます」

**A** 「ある程度は慣れておきましょう」

　アナログのノートに慣れていると、デジタルツールに不安を覚えることがあるようです。どうにも「手もとにある感じ」がせず、それが不安感を呼び起こす。そういう構図です。その気持ちはよくわかります。

　むしろデジタルでは、そのように「手もとにある」感覚がないからこそ、数千どころか数万の情報を人間が扱えるようになっている側面があります。もしも、パソコンに保存した情報が、すべて「質感」を持って迫ってきたら、人間の脳には耐えられないでしょう。

　だからある程度は、そのような保有感の欠如に慣れることが必要です。あと、必要性の高いものはプリントアウトしておいたり、バックアップを二重、三重にとったりする

などして、データが失われても情報を取り戻せる環境を作っておくと、不安感を感じにくくなるかもしれません。

　もうひとつ、デジタルツールに情報を保存するとき、それがデータベース的なものに入ってしまうと、ますますその保有感が薄れてしまう傾向があります。保存はされていても、どこに何が入っているのかがわからなくなるからです。逆に、テキストファイルやWordファイルなど、普段よく使い慣れていて、データの操作が容易であるならば、多少は保有感が出てきます。

　こんなふうに、対象のデータについて操作できるようになると、徐々に保有感が生まれてきます。それと共に不安感も減っていくことでしょう。

> デジタル情報の不安は「手もとにある感じ」の欠如。それを補うために、データを操作できる形式を模索する。

# 052

# さまざまなノート術との
# 付き合い方

**Q** 「世の中にはたくさんのノート術がありますが、
どれを使えばいいですか」

**A** 「好きなものをアレンジして使いましょう」

　世の中には、さまざまなノート術があります。それこそ
星の数ほどあるかもしれません。これらのうちどれが最強
なのか（あるいはランキングの1位なのか）が気になるところ
ですが、実際そんなものはありません。単に適性があるだけ
です。

　1つのノート術は、その開発者が使いやすいように作り
上げたものであって、それがそのまま自分にとって使いや
すいとは限りません。そして、そうしたノート術もよくよ
く観察すれば、本書で紹介したようにさまざまなパーツに
分解できます。であれば、自分も提示されたノート術を、
自分が使いやすいようにアレンジしていけばいいでしょう。

　人によってはフルスクラッチといって完全にゼロからノー

ト術を立ち上げるのが性に合っているかもしれません。その場合は、まさに本書で紹介したパーツたちが土台になってくれるでしょう。また、他の人のノート術をアレンジする場合でも、「どこが変えられる部分なのか」という視点の獲得において本書のパーツ紹介は役立つでしょう。

　何にせよ、完全に他の人の言う通りにするのではなく、自分なりの「方法」を作り上げていく感覚が大切です。

**巷のノート術は開発者が使いやすい形式に過ぎない。よさそうなものを取り入れるぐらいでOKとする。**

# 053

# ノートの楽しさは何か

**Q** 「ノートの楽しさって何ですか」
**A** 「自分のための場所を持てることです」

　ノートは、情報の保存という機能的側面を持ちますが、それだけではありません。何をどのように記録するのかを自分で決められますし、さまざまなカスタマイズも可能です。ようは、運用の方法について自分が裁量を持てるのです。それがある種の楽しさをもたらしてくれます。

　会社という場、あるいは仕事という状況の中では、「言われたから仕方がない」「慣習だからどうしようもない」という局面に遭遇することになります。そのような理不尽さを割り切るのが大人なのだとしても、そこで自己効用感が損なわれてしまうのは避けがたいでしょう。自分には何もコントロールできないのだ、という無力感にさいなまれてしまうのです。

　外的な要素に左右されることなく、自分がこうしたいと思ったからそうする、あるいはそうすることができるとい

う道具を持つことは、そのような無力感を回避し、自己効用感を回復させてくれるようなところがあります。とはいえ、大げさに考える必要はありません。趣味の園芸やDIYのものづくりと似たようなものだと捉えればよいでしょう。そうしたちょっとした趣味が、心の安定感に寄与する部分は大きいのです。

　こうした要素は、外部からの管理が強まっている現代だからこそ大切だと言えるでしょう。だからまあ、ノートは気楽に自由に使いましょう。何を書いてもいいですし、何も書かなくてもいいのです。その場所を「自分のための場所」にさえできるならば、何だってOKです。

制約が多い現代において自由な遊び場・じっくり考える
場所になりえるのがノート。自分なりに気楽に使う。

# 054

# ノートを役立たせるには

**Q**「ノートに書いたことを役立たせるには
どうしたらいいでしょうか」

**A**「情報を他の誰かに届けてください」

　役に立ちそうだなと思って記録したことが役に立っても、普通のことです。特筆すべきことはありません。その意味で、「役立たせたい」気持ちには、役に立つとは思ってもみなかった活躍を見せることが期待されているのでしょう。

　しかし、です。そうした予想外の役立ち方は、予想外であるがゆえに事前に計画することができません。イノベーションに方程式がないのと同じです。

## 情報を閉じない

　そうはいっても、上司に逆らったらクビになる会議と、自由闊達な発言ができる会議では後者の方が良いアイデアが生まれやすいだろうと予想できるのと同じレベルで、予想外の役立ち方を呼び込みやすい記録の使い方はたしかにあります。それは簡単で、他者に届けるのです。言い換え

ると、自分だけに閉じないようにしておく。それにつきますし、それしかないとも言えます。

　私たちが今読んでいるあらゆる古典が、基本的に「他者に向けて書かれたノート」です。17世紀を生きた哲学者ルネ・デカルトは、自分の本が21世紀の日本人に読まれるだなんて想像もしなかったでしょう。でも、それはたしかに起きている事実です。そして、それが起きたのは彼が自分以外の人間に自分の考えを伝えようとしたからです。彼がそうしたことをせず、ただ「思っている」だけだったら、それ以降何も起きなかったでしょう。

## 「役立ち方」が生まれる

　今この瞬間の「自分」という存在があり、それ以外のあらゆる「他者」が存在します。十分後の自分も、「今この瞬間の自分」からすれば他人みたいなものですが、それでもブラジルで暮らしている靴職人と比べれば近しい存在と言えるでしょう。他人にも距離があるわけです。そして、この他者の距離を、可能な限り遠くすることがポイントです。その距離が遠くなるほど、予想外の役立ち方が生まれる可能性が上がります。

ただし注意したいのは、「可能な限り」という点です。「理想的な」とか「最高の」ではありません。どれだけ理想的であっても、自分の能力のはるか外にまで届けようとすれば間違いなく失敗し、挫折します。そもそもハードルが上がりすぎてしまって、最初の記録を残すことすらできなくなるでしょう。それは本末転倒です。

　自分の能力のうちで、自分のできる限りにおいて、少しでも「外」に情報を届けるようにすれば、意外な役立ち方が生まれてきます。

　逆に今の自分が、過去の記録を意外な形で役立てようとするならば、今の自分からできるだけ「遠い」場所を探すようにしてみることです。書いた直後の記録ではなく、もっと昔の記録、あるいは今は必要としてない記録を何気なく読み返してみることです。

　そうすると——何が起こるかは断言できませんが——自分が普段接しているのとは違った情報を、違った角度から得ることができるでしょう。

書いたノートを有効に使うには、自分が情報を持っていることに閉じず、誰かに届けようとすること。

# #055
# どのように保存するか

**Q**「使い終わったノートはどのように保存すれば
　　いいでしょうか」
**A**「理想を言えばデジタル化。でも過信はしないこと」

　ノートは書いているときは楽しいのですが、その保存と
なると頭を抱えることになります。書いているときは、せ
いぜい1冊から数冊を扱う程度で済みますが、保存の段に
なると時間が経つほど扱わなければならない冊数が増えて
いくからです。心理的・物理的に負担が大きくなります。

　現実的な解決は、デジタル化してしまうことでしょう。
簡単に言えばスキャンするわけですね。綴じノートなら端
を断裁してスキャナにかければ簡単にPDFにできます。ルー
ズリーフやノートパッドならもっとラクチンでしょう。

　そのようにしてデジタル化しておけば冊数がどれだけ増
えても困りません。また、OCRなどの機能を使えば、テ
キストで検索することすらできます。


　とはいえです。それでは味気ない感じもするかもしれま
せん。少なくとも、ノートというものそれ自体が持ってい

る存在感は失われてしまいます。パラパラ読み返すのも難しくなりますね。

　だからといってすべてのノートを保存し続けるには、ある種の覚悟が必要です。本棚や書類置き場、あるいは引き出しの一区画をノート置き場として使う、という揺るぎない決意がないとなかなか続きません。そして、そうして保管しているノートが増えれば増えるほど、後から目的のノートを探し出すのは難しくなります。

　そうなると結局、不要なノートを選り分けて必要なものだけ残すという作業が必要になってきます。心を鬼にして、ノートを捨てなければならないのです。だったら、デジタル化しておいた方がいいのではないか、と考えるのは合理的な思考でしょう。

　とはいえ、デジタル化していても、そのまま保存しておいても、そこまで頻繁に過去のノートを参照することはありません。あまり過剰な期待を抱かず、負担にならない程度のコストで保存できる方法を見つけ出しましょう。

管理するコストをかけても、たいてい忙しくそのまま見直すことはない。「今」を考える時間を大切にすること。

# #056
# ノート運用のポイント

**Q** 「どんな情報を残していけばいいのかわかりません」
**A** 「やってみたらわかります」

　効率性を考えると、残しておいて役に立つ（あるいは嬉しい）情報だけを残していきたいところです。無駄なことはしたくありませんからね。とはいえ、その道のりは難しいものがあります。何が役立つのかは、保存し始める前にはわからないからです。わからないどころか、勘違いしていることすらあります。

　必死に情報を残したのに、その大半はほとんど使われず、「まあ、いいか」とスルーした情報が必要になってしまう。そんなことは珍しくありません。悲しい出来事ではありますが、避けることはできません。実際にそうして記録を残したからこそ、何が必要で何がそうでないのかがわかったからです。別の言い方をすれば役立つ情報は結果的にしかわからないものなのです。

　もちろん、一度それがわかれば、次からは積極的にそう

した情報を残していけばいいでしょう。それ以降は、役立つ情報を残せるようになります。しかし、一度の出来事でわかるのは一つの事柄です。また別の事柄については、その有用性は事前には判断できないでしょう。だから、常にある程度の失敗を織り込んで、記録を続けていくことです。そうすれば、情報の審美眼が少しずつ向上していくことでしょう。

最初から何が必要なのか分かることはない。続けることが必要。続けると、自分なりのスタイルが見えてくる。

*Book Guide*

付録

# ノートを
# さらに使うための
# ブックガイド

本書の内容に関連する書籍、
あるいは派生する書籍を紹介しておきます。
以下の5つに分類しますが、
あくまで便宜的な分類にすぎない点はご了承ください。

・ノート総合
・仕事術
・ノーティング
・着想
・知的生産の技術

## ノート総合

**倉下忠憲**
『**すべてはノートからはじまる**
**あなたの人生をひらく記録術**』
(星海社新書 2021)

本書がノートの実践編だとしたら、理論編にあたります。そもそも人が何かを書くとはどういうことなのか。それを検討した1冊です。

## 仕事術

**サンクチュアリ出版 監修**
『**図解 ミスが少ない人は必ずやっている**
「**書類・手帳・ノート」の整理術**』
(サンクチュアリ出版 2010)

ビジネスパーソンにおける基本的な情報の扱い方がまとまっています。

**美崎栄一郎**
『「**結果を出す人」は**
**ノートに何を書いているのか**』
(ナナ・コーポレート・コミュニケーション 2009)

3冊のノートを使い分けて仕事を進めていく方法が紹介されています。

奥野宣之
## 『情報は1冊のノートにまとめなさい
[完全版]』
（ダイヤモンド社 2013）

思いついたこと、目についた情報は何でも1冊の
ノートにまとめるやり方が提唱されています。

デビッド・アレン　田口元 監訳
## 『全面改訂版 はじめてのGTD
ストレスフリーの整理術』
（二見書房 2015）

気になったことをすべて書き留め、それらを適切
なリストに振り分けることで、物事をよりスムー
ズに進めていけるようになるGTDというメソッド
が紹介されています。

マーク・フォースター　青木高夫 訳
## 『明日できる仕事は今日やるな
マニャーナの法則 [完全版]』
（ディスカヴァー携書 2022）

「明日やれることは今日やらないこと」というラ
ディカルな方針を打ち出している仕事術です。あ
れもこれも手を伸ばすのではなく、今日やること
に集中するための技法が紹介されています。

**ライダー・キャロル　栗木さつき 訳**
## 『バレットジャーナル 人生を変えるノート術』
（ダイヤモンド社 2019）

アナログのノート・手帳を使い、箇条書きでシンプルにリストを作っていく仕事術です。あらかじめ項目が書き込まれた手帳と違い、自分で好きなページを作っていけるカスタマイズ性の高さが特徴です。

## ノーティング

**堀正岳　中牟田洋子**
## 『モレスキン「伝説のノート」活用術
### 記録・発想・個性を刺激する75の使い方』
（ダイヤモンド社 2010）

モレスキンという高級ノートの使い方が解説されますが、その考え方は広くノート一般に適用できるものです。

**堀正岳**
## 『仕事と自分を変える 「リスト」の魔法』
（KADOKAWA 2020）

リストという情報を整理する上でもっとも身近な知的道具の使い方が紹介されています。

太田あや
## 『東大合格生のノートはかならず美しい』
（文藝春秋 2008）

ノートを美しく書く効能が解説されます。情報の
整理が、理解につながっていくという点は重要で
しょう。

今泉浩晃
## 『これからの人生論 新しい時代の生き方を
## デザインする マンダラートブックス』
（セルフパブリッシング 2018）

3×3マスで構成されるマンダラートを使って思
考を展開していく方法が解説されています。

トニー・ブザン　近田美季子 監訳
## 『マインドマップ超入門
## トニー・ブザン天才養成講座』
（ディスカヴァー・トゥエンティワン 2008）

上から下ではなく、中心から放射状に展開してい
くマインドマップという手法の入門書です。

橋本和彦
## 『3本線ノート術』
（フォレスト出版 2009）

3本の線でノートの領域を分割し、それぞれに役
割を与えるメソッドが解説されています。

**和田哲哉**

『**文房具を楽しく使う ノート・手帳篇**』

（早川書房 2004）

ノートを「どう使うのか」を考える上で有用な示唆を与えてくれる一冊。一冊のノートの中身だけでなく、ノートという道具とどう長期的に関係を結んでいくのかが検討されます。

## 着想

**ジェームス・W・ヤング**　今井茂雄 訳

『**アイデアのつくり方**』

（CCCメディアハウス 1988）

発想とは何かを考える上でもっとも参考になる古典的な一冊です。短いページ数ですがエッセンスが詰まっています。

**ジャック・フォスター**　青島淑子 訳

『**アイデアのヒント 新装版**』

（CCCメディアハウス 2003）

アイデアを生み出すための考え方や準備が具体的に紹介されています。

加藤昌治
『**考具　考えるための道具、持っていますか?**』
（CCCメディアハウス 2003）

いわゆる発想技法がまとまった一冊。ノートを使って実践できるノウハウも多数収録されています。

樋口健夫
『**新版　図解 仕事ができる人のノート術**
**アイデアマラソンが仕事も人生も豊かにする**』
（東洋経済新報社 2011）

毎日最低一つはアイデアを思いつき、それをノートに書き留めていく「アイデアマラソン」というメソッドが提唱されています。

千葉雅也
『**メイキング・オブ・勉強の哲学**』
（文藝e-book 2017）

『勉強の哲学』という書籍がいかなる過程で生まれてきたのかが著者自身によって解説されている珍しい一冊です。着想のリアルな現場が垣間見られるでしょう。

奥出直人
『**思考のエンジン Writing on Computer**』
（青土社 1991）

フランス現代思想の観点を伴いつつ、「書く」という行為が発展的に考察されています。テクノロジーと思考の協働を考える上でも最適な本です。

## 知的生産の技術

梅棹忠夫
### 『知的生産の技術』
（岩波新書 1969）

京大式カードによる情報整理術を広めた一冊。
個人の知的な営みについてもっとも影響力のあ
る問題提起が行われています。いわゆる必読の
一冊です。

渡部昇一
### 『知的生活の方法』
（講談社現代新書 1976）

著者の体験と共に、読むことや書くことをどの
ように行えばいいのかが語られます。ノウハウ
としてよりも、一つの思想や在り方の受容とし
ての滋養が大きいかもしれません。

板坂元
### 『考える技術・書く技術』
（講談社現代新書 1973）

4種類のカードを使った情報整理術が紹介され
ています。さらに、文章を書く上でのノウハウ
なども紹介されます。

**ズンク・アーレンス　二木夢子 訳**
### 『TAKE NOTES! メモで、あなただけの アウトプットが自然にできるようになる』
（日経BP 2021）

ドイツの社会学者ニクラス・ルーマンが用いていたと言われる方法をベースに、カードによる知的生産術が整理されています。

**ティアゴ・フォーテ　春川由香 訳**
### 『SECOND BRAIN 時間に追われない「知的生産術」』
（東洋経済新報社 2023）

自分のもとに集まってくる情報を、適切な分類軸を作り、効果的に整理していこうという方法論が紹介されています。

**木下是雄**
### 『理科系の作文技術』
（中公新書 1981）

小説などではない、仕事のための文章の書き方が解説されます。自分のノートにおいても「文章」を書くわけですから、作文技術を学ぶのは有用です。

**梅田卓夫**
### 『文章表現400字からのレッスン』
（ちくま学芸文庫 2001）

400字という限定の中で、自分の考えを展開するための文章の書き方が検討されます。

# おわりに
## ノートを自由に使う

　本書ではさまざまなノートの使い方を紹介してきました。どうでしょうか。ワクワクしたでしょうか。それとも圧倒されてしまったでしょうか。

　たくさんの方法が提示されると、戸惑いに似た気持ちが生まれてくるかもしれませんが、ある程度は仕方がありません。それは自由さを得るための代償のようなものです。

　私たちの脳は、脳単体で「考える」なんて非効率なことはしません。認知科学の知見を引けば、さまざまな「外部」——環境や道具や方法——を使って思考していることがわかります。そうした道具を使うことで、脳単体よりもより広く、あるいはより深く考えられるようになります。ある意味では、脳とそうした外部が1つの思考システムを形成しているのだともいえるでしょう。

　逆にいえば、使う道具が変わることで、人の思考もまた変わってきます。使うペンの種類で書かれるものが変わり、箇条書きか文章かで内容が変わり、紙面のサイズで展開される思考の大きさが変わってきます。ノートの書き方がさ

まざまあることは、そのまま思考のバリエーションが豊か
であることを担保してくれるのです。

　道具や方法を豊かにすることの目的は、その総量を誰か
に誇示することにはありません。状況に合わせて、適切に
頭を動かせるようにすること、つまり自由に考えられるよ
うにすることにあります。

　ここには2つの自由さが立ち現れています。

　まず、さまざまな道具や技術を使うことで、さまざまな
状況に合わせて自由自在に考えていけるようになる点があ
ります。これが第一の自由です。次に、そうした自由自在
さを手にすることによって、凝り固まった視点や偏見に陥
ることなく、多角的に物事を考え、判断していけるように
なります。これが第二の自由です。

　つまり、ノートを「自由」に使うことは、思考の「自由」
を獲得することにつながるのです。

　これはノートだけの話に限りません。道具や方法が豊か
になることは　（それが極端なレベルまでいかない限り）、
自由を増やすことにつながるのです。

豊富な方法に対する困惑は、そうした自由さの代償だといえるでしょう。いろいろ方法があり、皆と共通的なやり方をしていないと、「こういうやり方で大丈夫なのだろうか」と心配する気持ちがモクモクと湧き上がってきて、不安は滞留し続けます。しかし、そうした不安を解消するには画一的な方法に準じるしかありません。つまり、自分の自由さを少し損なうしかないのです。その意味で、自由と不安は隣り合わせなのだといえるでしょう。

　しかし、そうであってなお、「自分の方法」が現代では必要だと感じます。

　現代は、情報社会とわざわざいわれなくなったくらいに、情報を日常的に扱っています（昔はその言葉にインパクトがあったのです）。仕事の多くも、知識労働と呼べる成分が含まれているでしょう。つまり、ナレッジワークです。

　しかし、周囲を見渡してみると、ナレッジワークのための技術があまり言及されていないことに気がつきます。「会社でうまくやっていく方法」はいくらでも見つけられますが、逆にいえば「会社でなければうまくやっていけない」話ばかりがされている格好です。これは少しばかり不自由を感じます。

　他の人とは違うかもしれないけども、「自分の方法」で情報を扱い、知的な処理を進めていく。そういう方法の確立は、ある種の自由さを担保するためにも必要でしょう（完全に自由になれるわけではありませんが）。

　さらに最近では「ナレッジウォーク」という考え方もできるのではないか、と筆者は検討しています。仕事として知識の扱いに従事するのではなく、人生を通して知的なものとかかわっていく営みのことです。それは生涯学習的であり、教養的であり、趣味的なものであるといえるでしょう。人生に豊かさや彩りを与えてくれるようなものたちのことです。当然、それぞれの人生が違っているように、そこで確立される方法も、それぞれの人で違ったものになるでしょう。そうした方法論も、現状は不足しているように感じます。

　実際、上記のようなものは、効率やコスパという観点ではまっさきに切り落とされてしまう対象でしょう。そんなものよりも最大効率の共通的な方法を、というのが現代の主流なコンセプトなように感じられます。だからこそ、書籍というコスパがあまりよくないと思われているメディアにおいて、このことをあらためて主張していかなければな

らないのではないか。そんな風に考えています。

　というわけで、本書が皆様のナレッジワークないしはナレッジウォークの一助になれば、これにまさる喜びはありません。ノートと付き合い、自分なりの方法を作り上げていく喜びを感じていただけたならば、ぜひそのことを後進の人たちに伝えてあげてください。

　最後になりましたが、編集者の島村真佐利さんには長期間の執筆にお付き合いいただき感謝の言葉もありません。期間中かなり厄介なことが続きましたが、私が送り続ける原稿に対しての温かいコメントが最後まで心の支えになってくれました。ありがとうございます。

　また、インターネットを通じて著者とさまざまな情報交流をしてくださった皆様にも同じく感謝を。一人ひとりお名前を挙げることはできませんが、常に新しい視点と発見をくださる皆様によって、本書で提示した「ノート」についての考え方はブラッシュアップされております。

　そして、妻には最大限の感謝を。しんどいときでも、あなたの見せてくれる笑顔がすべてを帳消しにしてくれます。

2023年11月　倉下忠憲

# 思考を耕す
# ノートのつくり方
## 自分の知的道具を手に入れる

2023年11月30日　初版第1刷発行

**著者**　　　　　倉下忠憲

**ブックデザイン**　新井大輔

**発行人**　　　　永田和泉

**発行所**　　　　株式会社イースト・プレス
　　　　　　　　〒101-0051
　　　　　　　　東京都千代田区神田神保町2-4-7
　　　　　　　　久月神田ビル
　　　　　　　　Tel.03-5213-4700
　　　　　　　　Fax.03-5213-4701
　　　　　　　　https://www.eastpress.co.jp

**印刷所**　　　　中央精版印刷株式会社

©Tadanori Kurashita 2023, Printed in Japan
ISBN 978-4-7816-2266-8